もしきみが幸運にも
青年時代にパリに住んだとすれば
きみが残りの人生をどこで過そうとも
パリはきみについてまわる
なぜならパリは
移動祝祭日だからだ

——ある友へ

アーネスト・ヘミングウェイ　一九五〇年

ノート

アーネストは、一九五七年秋にキューバでこの本を書き始めた。一九五八—五九年の冬には、アイダホ州ケチャムで、その仕事をやり、私たちが一九五八年四月にスペインへ行ったときには、それを携行し、さらにキューバへ、それから、その年の晩秋にケチャムへ、それを持ちもどった。彼は、一九五九年のスペインの闘牛場での、アントニオ・オルドニエスとルイス・ミグエル・ドミングィンの間の烈しい張合いのことを扱ったもう一つの本、「危険な夏」を書くために、こちらの方は棚上げにしていたが、ついに、一九六〇年春、キューバで、この本を書き上げた。さらに彼は、一九六〇年秋、ケチャムで、この本にいくらか手を入れた。これは、一九二一年から一九二六年に至るパリを描いた本である。

メアリー・ヘミングウェイ

序文

作者にとって十分な理由のために、多くの場所や人びとや観察や印象が、この本に書かれずじまいになった。そのうちのあるものは、秘密だった。また、あるものは、周知のことであった。それについては、皆が、今まで書いてきたし、これからも、もっと書くだろう。

スタード・アナスタジー〔キューバのボクシングのスタジアム〕のことには言及しなかったが、そこではボクサーが、木蔭に出されたテーブルで、ウエイターとしてサービスしたし、リングは庭の中にあった。また、ラリ・ゲインズ〔アメリカのボクサー兼トレイナー〕とのトレーニングのこともシルク・ディヴェール〔パリのサーカス。室内の興行場〕で行われたすごい二十回戦のことも、書かなかった。また、チャーリー・スウィーニー、ビル・バード、マイク・ストレイターのような良い友だちのことも、アンドレ・マッソンやミロのことも、出て来ない。

ブラック・フォレスト〔ドイツ南西部の森林地帯〕への私たちの旅行や、私たちの愛したパリ周辺の森への日帰り探険のことも、書かなかった。これらのことが全部、この本に入っていたらよかったのだが、今のところ、それらなしですまさねばならない。

もし、読者がお望みなら、この本は小説とお考えくださってもよい。けれど、こういう小説の本が、事実として記されたことに何らかの光を投ずる、という可能性は、常にあるものだ。

キューバのサン・フランシスコ・デ・パウラにて
一九六〇年

アーネスト・ヘミングウェイ

移動祝祭日——回想のパリ

ERNEST HEMINGWAY

A MOVEABLE FEAST

1964

サン・ミシェル広場の良いカフェ　*A Good Café on the Place St-Michel*

それからわるいお天気になった。秋が終ったときの或る日に、それはやってくるのだ。私たちは、雨に備えて、夜、窓をしめなくてはならない。冷たい風は、コントルスカルプ広場の木立から葉をもぎとった。葉っぱは、雨に打たれてびしょぬれになっていたし、風は終点にとまっている大きな緑のバスに雨をたたきつけていた。カフェ・デ・ザマトゥールは客で混雑し、内側の熱や煙のために、窓はどれも一面にくもっていた。それは、その界隈の酔っぱらいどものむらがり集まる、もの悲しい、経営の思わしくないカフェで、私はそこに近づかないようにしていた。汚い体から発散するにおいや、酔っぱらいのすっぱいにおいがいやだったからである。アマトゥールの定連の男女は、四六時中、あるいは自分たちの自由になる時間中ずっと、たいていぶどう酒を半リットルか一リットルずつ買っては、飲みつづけていた。たくさんの奇妙な名前の食前酒（アペリチフ）が広告されていたが、それで、あとから飲むぶどう酒の下地をつくるというくらいのことしかできなかった。女の酔っぱらいは、ポワヴロットと呼ばれた。その言葉は女の飲んだくれという意味である。

カフェ・デ・ザマトゥールは、ムーフタール通りの下水だめみたいなものだった。その通りは、狭い、混雑する、あのめざましい市場通りであって、それはコントルスカルプ広場へ通じているのである。古いアパートの蹲坐（そんざ）式便所は、各階の階段の横に一つずつあって、借家人（ロカテール）が足をすべらさないように、穴の両側に少し高く、セメントの足型が二つとりつけてあったが、その便所は下水だめに通じるようになっており、その下水だめは、夜の間に、馬のひく清掃車へポンプで汲みこまれるのだった。夏季には、窓がすべて開かれているので、ポンプの音が聞えたし、ひどい悪臭がした。清掃車は茶色とサフラン色に塗られ、月光の中で、カルディナル・ルモワンヌ街を清掃しているとき、馬にひかれてゆく車輪つきの円筒（シリンダー）は、まるで、ブラックの絵のように見えた。でも、どの車も、カフェ・デ・ザマトゥールを清掃しにはこなかった。そして、公衆の前で酔っぱらうことを禁ずる法律の条文や罰則の書いてある黄色くなった店の貼り紙は、客が絶えず出入りし、悪臭をただよわせている一方において、すっかり汚れ、無視されたままであった。

冬の最初の冷雨とともに、この都市のすべての悲しみが、突然やってきた。背の高い、白い建物の頂上は、歩く人の目にはもはやうつらなくなり、あるのはただ、街路のしめった黒さと、小さな店の閉じたドア、薬味売り、文房具店や新聞店、さんばさん——二級助産婦——それに、ヴェルレーヌが死んだホテルくらいのもの。そのホテルの最上階に私は一室を借りて、そこで仕事をしていた。最上階までは、六つか八つかの階段を上らねばならなかった。そこはとても寒かったが、小枝のひとたばや、枝から点火するための、松の木を鉛筆半分くらいの長さに割ったものや、さらに、部屋をあたためる火を作るために、どうしても買わなくてはならない半乾きの固い薪のひとたばを手に入れるには、どのくらい金がかかるか、私にはわかっていた。そこで、私は、街路の向う側へいって、雨の中の屋根を見上げ、煙を出している煙突があるかどうか、また、煙の出具合はどうかを見た。ところが煙が出ていなかったので、きっと煙突が冷えていて、通りがわるいんだろうということや、たぶん煙で部屋が一杯になり、燃料がむだ使いされ、同時にお金も浪費されていることなどを考えながら、雨の中を歩きつづけた。官立中学校リセ・アンリ・カトルや、古教会サン・テチエンヌ・デュ・モンや、風の吹きさらすパンテオン広場の横を通り、風雨をよけて、右側へ入り込み、とうとうサン・ミシェル通りの風下へ出てきた。そしてその通りをずっと下りてゆき、クリュニ博物館とサン・ジェルマン通りを過ぎ、しまいにサン・ミシェル広場にあるカフェへやってきた。私が前から知っている店だった。

それは、あたたかく、清潔で、親しみのある気持の良いカフェだった。私はコート掛けに私の古いレインコートをかけて乾かし、ベンチの上の方の帽子掛けに、自分のくたびれて色のさめたフェルト帽をかけ、牛乳入りコーヒー(カフェ・オ・レ)を注文した。ウェイターがそれをもってくると、私はコートのポケットからノートブックを出し、鉛筆をとり出して、書きはじめた。私はミシガン湖畔について書いていた。その日は荒れた、寒い、風の吹く日だったので、物語の中でも、そういうふうな日になった。私はすでに少年時代、青年時代、それから大人になりかけの時代に、晩秋のやってくるのを見てきた。そのことについて、ある場所では、他の場所でよりも、うまく書けた。それは、自己を移植することと呼ぶのだ、と私は考えた。そのことは、人間にとっても、他の成長するものにとっても、同じくらい必要なことなのだ。しかし、物語の中では、少年たちは酒を飲んでいたので、そのため、私ものどがかわいてきて、ラム酒セント・ジェイムズを注文した。寒い日には、これはすばらしい味がした。で、私はとてもいい気持になり、この良いマルチニークのラム酒が私の全身と私の精神をあたためるのを感じながら、書きつづけた。

一人の女がカフェへ入ってきて、窓近くのテーブルにひとりで腰をおろした。とてもきれいな女で、新しく鋳造した貨幣みたいに新鮮な顔をしていた。雨ですがすがしく洗われた皮膚で、なめらかな肌の貨幣を鋳造できればの話だが。それに彼女の髪は黒く、カラスのぬれ羽色で、ほおのところで鋭く、ななめにカットしてあった。

私は彼女の顔を見ると、心が乱れ、とても興奮した。私の物語の中か、どこかへ、彼女のことを入れたいと思った。けれど、彼女は、街路と入口を見守っていられるような位置に身を置いていた。だれかを待っていることがわかった。だから私は書きつづけた。

物語はひとりでに展開していったので、それに歩調をあわせて書いてゆくのに、私は苦労していた。もう一杯ラム酒セント・ジェイムズを注文した。そして私は目を上げるたびに、あるいは鉛筆削りで鉛筆を削るたびに、その女の子を見つめた。鉛筆の削り屑は、くるくる巻いて、私の飲物をのせてある台皿の中に落ちた。

美しいひとよ、私はあなたに出会った。そして、今、あなたは私のものだ。あなたがだれを待っているにせよ、また、私がもう二度と、あなたに会えないにしても、と私は考えた。あなたは私のものだ。全パリも私のものだ。そして、この私はこのノートブックとこの鉛筆のものだ。

それから私は、また書く仕事にもどり、物語の中へずっと没入してしまった。今は、私がそれを書いているのだった。その物語がみずから展開しているのではなかった。私は目も上げず、時間のこともちっとも知らず、自分がどこにいるかも考えず、もうラム酒セント・ジェイムズも注文しなかった。意識はしなかったが、ラム酒セント・ジェイムズにはあきあきしていたのだ。やがて物語が終ると、私はとても疲れていた。最後の一節を読み返し、それから目を上げて、例の女の子をさがしたが、彼女は立去っていた。良い男といっしょに行ったのならいいが、と私は考えた。けれど何かしら悲しかった。

私は物語を書き終えたノートブックを閉じ、それを内ポケットに入れた。で、ポルチユゲーズ牡蠣（かき）を一ダースと、その店にある辛口の白ぶどう酒を水さし半杯分もってくるよう、ウェイターにたのんだ。物語を書いたあとは、まるで愛の行為をしたときのように、いつも空虚な感じがし、悲しいような楽しいような気持になるのだった。そしてこれがとても良い物語だということを確信した。どのくらい良いものかは、その次の日にそれを読み返すまでは、ほんとうにはわからないだろうが。

牡蠣は強い海のにおいとかすかな金属の味がしたが、冷たい白ぶどう酒はそれを洗い流して、あとにただ海の味と汁気を残した。私はその牡蠣を食べ、一つ一つの貝がらから冷たい汁を飲み、さわやかな味のぶどう酒で、それを流しこんだ。そうしていると、空虚な感じが消え、楽しくなって、これからの計画を立て始めた。

悪い天気になった今、私たちはしばらくパリを離れ、この雨が雪になって松の木立の中へ降り、道や高い丘の中腹をおおい、夜家路をたどるとき雪がギシギシいうのを聞けるような高地へ行ってみてもいいのだ。レ・ザヴァン〔スイスのモントルー近くの遊山地〕の下には、山荘があり、そこでは、下宿（ペンション）のまかないがとてもよく、私たちがいっしょに暮し、本なども持ち、夜は、窓を開け放して、輝く星を見ながら、二人で、ベッドの中であたたかくしていることもできるのだった。私たちの行けるのは、そういう場所だった。汽車の三等旅行は、金がかからなかった。下宿のまかないだって、パリでの物いりにくらべれば、ほんの少ししかよけいでなかった。

私は仕事場にしていたホテルの一室を放棄することにした。あとはカルディナル・ルモワンヌ街七十四番地の名目だけの家賃を払うことだけが残った。トロントあての新聞記事を送ってあったのに対して、小切手がもう着くころであった。新聞記事なら、どこへ行っても、どんな状況のもとでも、書くことができたし、私たちは旅行に必要な金はもっていた。

たぶん、パリを離れていれば、パリのことを書けるだろう。ちょうど、パリでミシガンのことを書いたように。私はそれをやるには時期尚早だということを知らなかった。私はまだ十分にパリを知っていなかったからである。でも、けっきょくは、そういうことになった。とにかく、妻が行きたいといえば、私たちは行くことにしよう。で、私は牡蠣をぶどう酒といっしょにたいらげ、そのカフェの勘定を払い、雨の中を、モンターニュ・サント・ジュヌヴィエーヴを上って、丘の上の私のアパートまで近道をした。雨といっても、今は、その地域だけの天気で、きみの人生を変えてしまう、といったものではなかった。

「それはすてきだと思うわ、タティ」と私の妻は言った。やさしい顔つきをし、彼女の目とほほえみは、決断に際して、明るくなった。まるで、その決断が豪勢な贈物であるかのように。「いつ出かけます?」

「きみの行きたいとき、いつでも」

「まあ、すぐに行きたいわ。あなた、ご存じなかったの?」

「帰るころは、たぶん、晴れ上った好いお天気だろうよ。晴れて、寒いときには、とても好いお天気のことがあるからね」

「きっと、そうよ」と彼女は言った。「あなたも、出かけることを考えるなんて、すてきね」

ミス・スタインの教示　*Miss Stein Instructs*

私たちがパリへ帰ってきたころは、空は晴れて、寒く、美しかった。町は冬に備えていた。家の前の通りを横切ったところにある薪や石炭の販売店では、良い薪を売りに出していた。また、良いカフェの多くは、店の外側に火鉢を置いていたので、人はテラスで暖をとることができた。私たち自身のアパートもあたたかく、快適であった。私たちは薪の火の上で、弾丸と称する、石炭粉を卵形にこねて作った塊をもやした。街路では、冬のともしびが美しかった。今は、空を背にした裸木も見慣れた風景となったし、澄んだ鋭い風に吹かれながら、リュクサンブール公園を通って、洗いたての砂利道を散歩することもできた。葉っぱのない木々は、それを見慣れてしまうと、彫刻のように見えるのだった。冬の風は、池の面を吹き渡り、泉水は、輝く光の中で吹き上った。私たちは、山の中にいたあとなので、どんな距離も短く思えた。

高度が変化したため、私は、たとえ丘の勾配に気づいても、快感以外の何物をも覚えず、その界隈の高い丘にあるすべての屋根や煙突を見渡す私の仕事部屋のあるホテルの最上階へのぼってゆくことも、たのしみだった。部屋の暖炉は通りがよく、あたたかくて、仕事をするのがたのしかった。私はミカンや焼栗を紙包みにして部屋へもちかえり、小さなタンジャリン種のようなオレンジの皮をむいて食べ、火の中へ、皮を投げたり、たねを吐き出したりした。腹がへったとき、私はオレンジや焼栗を食べたのだ。歩行や寒さや仕事のため、私はいつも空腹だった。上の部屋に、私は、山からもち帰った桜桃酒(キルシュ)をひとびんもっていた。そして、一つのストーリーの終りか、一日の仕事の終りに近づくと、桜桃酒を一杯やるのだった。その日の仕事をしてしまうと、ノートブックや紙をテーブルのひき出しに片付け、ミカンが残っていれば、それをポケットにしまうのだった。夜の間それを部屋の中にほうっておくと、凍ってしまうからである。

仕事がうまくいったことを意識しながら、長い階段をおりて行くのは、すばらしい気持だった。私は、何かをやりおえた、と思うまで仕事をつづけるのが常だった。そして、次にどういうことが起るかわかったとき、いつも仕事を止めるのだった。そういうふうにして、その翌日に仕事をどうつづけるかに確信がもてたのだ。けれど、時には、新しいストーリーを始めようとしているけれど、うまくそれを進めることができぬことがあり、そういうときには、暖炉の前に坐り、小さなオレンジの皮をしぼって、焔の先にたらし、それが青い光をパチパチ立てるのを見つめているのだった。また、立上って、外のパリの屋根を見渡し、こう思うのだった。――「くよくよするな。お前は前にもいつもちゃんと書いているんだから、今も書けるだろう。しなくちゃならぬことは、ただ、一つの本当の文章を書くことだ。お前の知っている一番本当の文章を書くんだ」そこで、けっきょく、私は一つの本当の文章を書き、そして、そこから先へ進んでいくのだった。そのとき、それは容易だった。なぜなら、いつも、自分が知っているか、見たことがあるか、あるいは、だれかの口から聞いたことのある、一つの本当の文章があったからである。もし書き始めがこしらえもののようだったり、または、ある人のように、何かを紹介し提示するといった書きぶりになっていたら、私は、そういう唐草模様や飾りを切りとって、投げ棄て、私が書いた最初の、本当の、単純な、断言的な文章からやり直す方がいいことを知った。あの上の方の部屋で、私は、自分が知っている事柄のおのおのについて、一つずつのストーリーを書こうと決心した。私は、書いている間中、このことをしようと試みていた。それは、良い、きびしい修行だった。

書くことを止めてから、その翌日再び仕事を始めるまで、自分の書いているもののことを少しも考えないでいることを学んだのも、その部屋においてだった。そういうふうにすると、私の潜在意識がそのことについて働いていると同時に、私は他の人の言うことにも耳を傾け、すべての物に気づくことが可能だろう、と私は思った。つまり、物を学びとっていることになる、と思った。そして、本を読むのは、自分の仕事のことを考えてばかりいて、仕事が不能になるのを防ぐためであった。仕事がよく出来たとき、——それには刻苦精励することのほかに運のいいことも必要だったが——階段をおりてゆくのは、とてもすばらしい気持だった。そのあとは、パリ中どこでも気ままに歩きまわった。

いろんな違った街路を通って、午後、リュクサンブール公園へ下りて行けるのだったが、私は公園の中を通って、絵画の傑作のあるリュクサンブール美術館へ行ってもよかった。それらの絵は、今は大部分、ルーヴルとジュー・ド・ポーム美術館へ移されている。私はそこへほとんど毎日通った。セザンヌを見るためと、シカゴの美術研究所(アート・インステテュート)で初めて知ったマネやモネやその他の印象派の絵を見るためであった。自分のストーリーにある広がりをもたせようと試みる際、そのためにはまったく不足と思われるくらい簡単で真実の文章を筆にするようにさせるある物を、私はセザンヌの絵から学びとっていた。彼からはとても多くのことを学んでいたが、私ははっきり口に出して、だれにもそのことを説明しなかった。それに、それはまた秘密でもあった。けれども、リュクサンブール公園のあかりが消えると、私は公園を通り抜けて、ガートルード・スタインが住んでいたフラーリュス街二十七番地のアトリエふうのアパートへ立寄るのだった。

妻と私は、前にもミス・スタインを訪問していた。彼女は、同居している友人ともども、心から親切にしてくれたし、私たちは、絵画の傑作を飾った大きなアトリエが気に入っていた。一流の美術館の最上の部屋の一つのようだった。ただ違うところは、大きな暖炉があって、あたたかく快適であり、おいしい食べものや飲みものを出されたし、紫スモモ、黄スモモや、野生のキイチゴから造った蒸溜酒をごちそうされた。これらの酒は、芳香のある無色のアルコールで、カット・グラスの水さしから、小さなグラスにつがれた。それが、ケッチであれ、ミラベルであれ、フランボワーズであれ、それらは材料になっている果物のような味がし、舌の上に集約されて火と燃え、体をあたたかにし、濶達（かったつ）な気持にさせるのだった。

ミス・スタインは大きな体つきだったが、背は高くなく、百姓女のようにがっちりしていた。美しい眼をもち、強いドイツ・ユダヤふうの顔――それは見かたによっては、フリウラーノ〔イタリア北東部フリウリ地方のケルト系住民〕のようでもあったが――をしていて、よく表情の動く顔、美しい、濃い、いきいきした粗っぽい感じの髪の毛を、たぶんカレッジ時代にしていたと同じような形にし、自分の服を身にまとっている姿は、私に北イタリアの百姓女を連想させた。彼女はしょっちゅう話しつづけ、初めは人びとや場所のことを語った。

彼女の伴侶は、とても気持のいい声をし、小柄で、色がとても黒く、ブーテ・ド・モンヴェル〔フランスの画家。一八五一―一九一三〕のさし絵にあるジャンヌ・ダルクのような髪形をし、ひどいカギ鼻をしていた。この家を私たちがはじめて訪問したとき、彼女は針編みものをしていた。その仕事をしながら、彼女は食べものや飲みものにも気をくばり、私の妻にも話しかけた。彼女自身一つの会話をすると、今度は二つの会話に耳をかたむけ、また、自分がしていない会話に口をはさむことがよくあった。後に彼女が私に説明したところによれば、彼女はいつも奥さん連中によく話しかけるのだそうだ。私の妻も私も、奥さん連中が大目に見られていると感じた。でも、私たちはミス・スタインとその友人が好きだった。その友人の方にはぎょっとさせられるところもあったが、絵とケーキと火酒（オー・ド・ヴィー）はほんとうにすばらしかった。彼女らも私たちが好きなようで、私たちがとても善良で、お行儀のよい見どころのある子供であるかのように待遇した。そして私たちが愛し合い、結婚していること——時がたてば何とか解決するさ——を許してくれたように私は感じた。そして、私の妻が二人をお茶に招いたとき、彼女らはそれを受けた。

私たちのアパートへやってきたとき、彼女らは、なおいっそう私たちを好いているように見えた。しかし、たぶん、そのわけは、うちの場所がたいへん小さく、私たちがいっそうひとかたまりになったからだろう。ミス・スタインは、ゆかの上においてあったベッドに腰をおろし、私が書いたストーリーを見せてくれといった。彼女はみんな好きだと言った。「ミシガン湖畔にて」を除いて。

「それは良い作品です」と彼女は言う。「それには疑問の余地はありませんね。でも、それは〈掛けられない〉ものです。つまり、画家が描いてはみたが、展覧会のとき、壁に掛けられない絵のようなもので、だれもそれを買わないでしょう。彼らもその絵を掛けられないんだから」

「でも、もしその絵がくだらないものでなく、単に、人が実際使う言葉を用いようと努めているにすぎないのなら、どうでしょう？　そのストーリーに真の生命を与えるには、その言葉しかなく、それをどうしても使わなくちゃならないのだったら？　それを使う必要があるのです」

「でも、あなたは、かんじんの点がおわかりにならないのね」と彼女は言った。「〈掛けられない〉ものは何も書いちゃいけないのよ。そんなことしたって、何の役にも立たないわ。それはまちがいだし、ばかげたことです」

彼女自身、書いたものを「アトランティック・マンスリー」にのせたいし、いまにのせられるだろう、と彼女は私に言った。まだ、私が、その雑誌とか、「サタデイ・イーヴニング・ポスト」とかに出すだけの良い作家ではないが、私流に一人の新しい型の作家であるかもしれない。が、まず覚えておかねばならぬことは、〈掛けられない〉ストーリーなど書かぬことだ、と彼女は言った。この点に関し、私は彼女と議論しなかったし、会話について私が何をしようとしているかを、再び説明しようと試みることもしなかった。それは、私だけの関心事であったし、むしろ人の話に耳をかたむける方がずっとおもしろかった。その午後、彼女はまた、絵の買い方について、私たちに語った。

「あなた方は、服を買うか、絵を買うか、のどちらかですよ」と彼女は言った。「そのくらい単純なことです。あまり金持でない人は、だれだって両方をすることはむりです。自分の服なんかには気をとられず、モードなんかにも一向とんちゃくしないようになさい。そして着心地のよい、長つづきのする服をお買いなさい。そうすれば、服を買うお金を、絵を買う方へ回せますよ」

「でも、たとえこれ以上一枚も服を買わなかったとしても、ぼくのほしいピカソを買うお金なんかありませんね」と私は言った。

「そうでしょうよ。あなたはピカソには手がとどきませんよ。あなたと同年輩の人びとのを買わなくちゃ——同じころ軍隊勤務をしていた人びとのを。それらの連中と知り合いになりますよ。この界隈で出会うでしょうから。いつだって、良い、まじめな新人の絵かきっているものです。でも、服をたくさん買うのは、あなたじゃありません。いつでも、あなたの奥さんですよ。高価なのは女性の服です」

私は、妻がミス・スタインの着ていた奇妙な南京袋みたいな服を見て見ないふりをしているのに気づいた。妻はうまくやった。二人の客の帰りぎわにも、私たちは人気を失わないでいた、と私は思った。私たちは、フラーリュス街二十七番地をまた訪ねるように言われた。

冬の間は、午後五時以後ならいつでも、アトリエへきてほしい、と私が言われたのは、それからまたあとのことであった。私はリュクサンブールでミス・スタインに会っていた。彼女が犬を散歩に連れていたかどうか、そのころ彼女は犬を飼っていたかどうかも、私は思い出せない。私は自分がひとりで散歩していたことは知っている。私たちは当時、犬も、猫さえ飼う余裕がなかったのだ。私の知っていた猫といえば、カフェや小さなレストランにいた猫とか、門番(コンシエルジュ)ののぞき窓で見て感心した犬猫ぐらいのものだ。あとで、ミス・スタインが犬を連れて、リュクサンブール公園を歩いているのによく出会った。でも、今のべている場合は、彼女がまだ犬をもつ以前のことだったと思う。

ところで、彼女が犬をもっていようがいまいが、私は彼女の招きを受け、彼女のアトリエへ立寄るようになった。すると彼女はいつも、私に生(き)のオー・ド・ヴィーを出してくれ、むりにお代りをさせた。私は絵を見たり、彼女と話したりした。絵は心をおどらせたし、話もとても楽しかった。話し手はおもに彼女だった。彼女は私に、現代絵画や画家たち——画家としてよりはむしろ人間として——について話した。また彼女自身の仕事についても語った。毎日自分が書き、同居の友人がタイプした何冊もの原稿を私に見せてくれた。毎日書くことで、彼女は幸福だった。けれど次第によく彼女を知るにつれ、彼女を幸せにしておくためには、彼女の精力の多少によって量は変るけれど、毎日きちんと生産されるこれらのものが出版され、彼女が世に認められることが必要だ、ということがわかった。

私が彼女とはじめて知り合いになったころは、すでに彼女はだれにもわかりやすい三つのストーリーを出版していたので、まだ情勢は急場になっていたわけではなかった。これらのストーリーの一つである「メランクサ」はきわめてすぐれたものだったし、彼女の実験的記述の良い例も、いくつかまとめて本の形で出版され、彼女に会ったり、彼女と知り合いになっていたりした批評家によって賞讃された。彼女は非常な個性をもっていたので、だれかを自分の側につけたいと思うときには、反抗を許さなかった。そして彼女に会って、その絵を見た批評家たちは、自分たちが理解できないのに、彼女の書くものを、良いものだときめてかかるのだった。それは、一人の人間としての彼女に対する熱意と、彼女の判断に対する信頼の故(ゆえ)なのである。彼女はまた、リズムに関する多くの真理や、確実で価値のあるくり返し言葉の使用法を発見し、それらについてうまく説明した。

しかし彼女は、書きなおしという骨折り仕事や、自分の著作をわかりやすくする義務というものを、いやがった。とはいえ、彼女が出版や公けの受入れを必要としていたことはたしかで、特に「アメリカ人の形成」という途方もなく長い書物については、そうであった。

この書物は、書き出しがすばらしく、偉大なひらめきの偉大なひろがりを伴いながら、ずっと進行してゆき、それから、とめどなく、くり返しがつづく。その部分は、もっと良心的で、勤勉な作家なら、紙くずかごに棄ててしまっただろう。そのことがよくわかったのは、私がフォード・マドックス・フォードにたのんで――いや、強制して、といった方がぴったりだ――それを「トランスアトランティック・リヴュー」に連載するようにしたときであった。その雑誌の寿命がつきるまでに、それをのせ切れないのではないか、と私は考えていた。雑誌に発表するためには、ミス・スタインの校正刷を、私が全部読まねばならなかった。そういうことは、彼女にとって少しも楽しい仕事でなかったからである。

この冷たい午後、私が門番小屋の横を通り、冷たい中庭を越して、あたたかいアトリエへやってきたときは、先に述べたようなことの起る何年も前であった。この日ミス・スタインは私にセックスのことを教えることになっていた。そのころまでに、私たちはお互いをたいへん好いていたし、私の方は、自分が理解できないことはすべて、何かしらセックスに関係があるのだ、ということをすでに知っていた。ミス・スタインは、私がセックスについてあまりにも教育を受けていない、と考えていた。私は、同性愛については、ある先入主をもっていたことを認めねばならない。私は同性愛の、どちらかというと原始的な姿を知っていたからだ。狼という言葉が、女性を追っかけることに執心の男を意味する俗語でなかった時代に、少年が浮浪者たちと同席しているときは、ナイフをたずさえて、それを使うことがあるという理由を、私は知っていた。私は、カンザス・シティにいたころ覚えたたくさんの〈掛けられない〉文句や、その町のあちこちとか、シカゴとか、湖の船とかで行われていた流儀を知っていた。問われるままに、私は、われわれが少年のころ、男同士の間で動いているときは、いつでも男を殺せる態勢をとり、その方法を知り、人からじゃまされないためにはそれを実行するんだ、ということをちゃんと知っている必要がある、とミス・スタインに話そうと努めた。そういう言葉は〈掛けられない〉ものであった。もし、きみに、人を殺そうという気持が起ると、他の連中はそれをすばやく感じとって、きみのことをかまわず、ほっておくだろう。けれど、場合によっては、むりじいされたり、わなにかけられたりすることにがまんがならないときもある。狼どもが湖の船で使う〈掛けられない〉文句を使えば、もっとあざやかに、私の気持を表せただろう。例えば「ああ、穴もよかろうが、こちらは一つ目の棒の方がなおいいぞ」しかし、私はミス・スタインに対しては、いつも言葉づかいに気をくばった。ある特異の考え方を明らかにし、またはいっそうよく表現するのにぴったりした文句があったときでさえも気をつけた。「そうでしょうよ、ヘミングウェイ」と彼女は言った。「でもあなたは、犯罪人や変質者の間でくらしていたんでしょう」

私は、これに対して反駁（はんばく）しようとは思わなかった。自分が現実の世の中に住んでいたから、そこにあらゆる種類の人びとがいるのを見たし、自分は彼らを理解しようとしたではないか、と考えたのだけれど。もっとも、彼らの中には好きになれない連中もいたし、ある者に対しては今でも憎しみをもっているのだが。

「でも、こういう場合はどうですか？　つまり、ちゃんとした立居ふるまいをし、りっぱな名前をもった老人が、イタリアの病院にやってきて、私にひとびんのマルサラかカムパリ〔いずれもイタリア産ぶどう酒〕を持参し、とてもお行儀もよかったのに、ある日のこと、その老人を二度と部屋へ入れてくれるなと、看護婦に言わなくちゃならなくなる。そういう老人のことをどう思いますか？」と私はたずねた。

「あの人たちは、病気で、自分で自分のことができないんですよ。あなたは、ああいう人をかわいそうに思わなくちゃ」

「例の人のこともかわいそうに思わなくちゃいけませんか？」と私は聞いた。私は彼の名前を出したが、彼は自分で名を出すのをとても喜ぶので、人が彼を宣伝してやることなど必要がないと、私は感ずる。

「いや、彼はわるい人間です。人を堕落させるし、全くわるい男です」

「でも、良い作家だと思われていますね」

「そうじゃないわ」と彼女は言った。「彼はただの見世物師よ。堕落するのがたのしくて堕落し、他の人たちも誘って、悪い行為にひきこむのです。例えば、麻薬など」

「ミラノでは、私がかわいそうに思わねばならぬ男が、かえって私を堕落させようとしていたのではありませんか?」

「ばかなことを言わないで。彼がどうしてあなたなんかを堕落させようと思えますか? 甘口のマルサラなんかで、アルコールを飲む、あなたみたいな若者を、だれが堕落させられますか? いや、彼は、ああするより仕方のない、かわいそうな老人だったのよ。病気だったので、どうしてもそうなってしまったのです。あなたは彼をかわいそうに思わなくちゃいけないわ」

「当時は、そう思いましたよ」と私は言った。「でも、立居ふるまいだけはりっぱな人だったので、私はがっかりしました」

私はオー・ド・ヴィーをもう一のみし、その老人をあわれみ、花かごをもったピカソの裸婦を眺めた。私は会話を始めなかった。話をすることが、少し危険になったと考えたのだ。ミス・スタインとの会話では、ほとんど休止ということがなかった。でも、私たちは休止した。彼女がまだ私に話したいことが何かあったのだ。私は自分のグラスを満たした。

「ヘミングウェイ、あなたはこのことについては何一つ知っていませんね」と彼女は言った。「あなたは、世に知られた犯罪人や、病気の人たちや、不道徳な連中を知っている。大事なことは、同性愛の男がする行為というものが、醜く、いやらしく、しまいには、自分で自分がいやになるようなものだ、ということです。その連中は、苦痛を一時やわらげるために、酒を飲んだり、薬を飲んだりするけれど、その行為に嫌悪感をもち、しょっちゅう相手を変え、本当の幸福を味わえないでいるんですよ」

「なるほど」

「女の場合は反対です。いや気のさすようなことは何にもしない。反撥を感じさせることもしない。あとで幸福になり、いっしょに幸福な生活が送れます」

「なるほど」と私は言った。「でも、例の人のことはどうですか?」

「彼女はわるい人間です」とミス・スタインは言った。「ほんとにわるい人です。だから、新しくつき合う相手としか、楽しくやってゆけないのです。彼女は人を堕落させます」

「わかりました」

「ほんとうにわかったの?」

当時は、わからなければならないことが、たくさんあった。で、私たちが何か他のことを話すとき、私は嬉しかった。公園は閉じられたので、私は外側に沿って、ヴォージラール通りの方へ下りてゆき、公園の下手のはしを廻らねばならなかった。公園が閉じられ、錠がかかっているときは、そこは悲しげであった。私は、公園を通り抜ける代りに、そのまわりを歩いてゆき、急いで、カルディナル・ルモワンヌ街の家へ帰るのだったが、悲しい気持だった。それに、その日のはじまりは、あんなにも輝かしかったのだ。

あすも、いっしょうけんめいに働かなくちゃ。仕事は、およそどんなことでも、治療の働きをしてくれるものだ、と私は当時も信じ、今も信じている。当時、私が治療してもらわねばならぬことがあったとしたら、それは、青春と、妻を愛する気持くらいのものだ、そうミス・スタインがきっと感じているだろうと、私はきめた。でも、カルディナル・ルモワンヌ街へもどって、得てきた新知識を妻にひろうしたとき、私は少しも悲しくなかった。夜には私たちは、すでに持っている知識や、山で得た他の新知識のことを思って、楽しかった。

〈失われた世代〉 *"Une Génération Perdue"*

午後おそく、フラーリュス街二十七番地に立寄るという習慣はすぐついた。そこには、あたたかさと、りっぱな絵と、話し相手があったからである。ミス・スタインにはお客のないことがしばしばあった。彼女はいつも、極めて好意的であり、長い間にわたって情愛の深さを示した。私は、いろんな政治的な会議や、近東やドイツへ勤務先のカナダの新聞とニュース・サービスの仕事で旅に出かけ、帰ってくると、彼女は私に、面白かったことをすべてこまかに話させたがった。いつでも、おかしなところはあるもので、彼女はそれを好み、またドイツ人のいわゆる「ひかれものの小唄」式のユーモアばなしをも好んだ。彼女は、世の中の動きの中の、はでな部分を知りたがり、真実の部分とか、悪い部分とかを決して知りたがらなかった。

私は若くて、暗さがなく、最悪の時にでも、いつも奇妙でこっけいな出来事を経験した。ミス・スタインはこれらの話を聞くことを好んだ。その他のことについては、私は話をせずに、自分ひとりで書いた。

旅からもどったのではなく、仕事を終えてからフラーリュス街へ立寄るときは、私はミス・スタインに書物の話をさせようと、ときどき仕向けた。創作をしているとき、書き終えてから、読書することが必要であった。いつも、仕事のことばかり考えていると、その翌日にそれを書きつづける前に、書いていることがわからなくなってしまうおそれがあった。運動をし、肉体的に疲労することが必要であった。で、自分が愛している人と、愛の行為をすることは、たいへんよかった。それが何よりよかったのだ。けれど、あとで、自分が空っぽになると、自分の仕事を再び始めるまで、仕事のことを考えたり心配したりしないように、読書することが必要であった。自分の創作の井戸を決して涸らさないで、井戸の底に何かまだ残っているときにいつも止め、そこへ流れこむ泉から夜の間に補給させるようにすることを、私はすでに学んでいた。

仕事をしたあと、ときどき自分の心を創作から離しておくために、私は当時活動していた作家たちのものを読むことにしていた。オールダス・ハックスレーとか、D・H・ロレンスとか、その他シルヴィア・ビーチ〔パリで書店を開いていたアメリカの女性〕の図書室で、あるいは、河岸（ケー）の古本屋で、本が入手できる作家のものを読むのであった。

「ハックスレーって、死人も同然だわ」とミス・スタインは言った。「どうして死人のものが読みたいの？ 死んでいるのがわからない？」

そのときは、私は、彼が死人であることがわからなかった。それで、彼の本が私を楽しませ、考えつめることから解放してくれる、と答えた。

「あなたは、本当に良いものか、はっきり言って悪いものかのどちらかだけを、読むべきですよ」

「私は本当に良い本を、冬の間中、それに昨年の冬中も、読んできました。来年の冬もそうしますよ。私は、はっきり言って悪い本は好みません」

「あなたはどうして、こんながらくたを読むんです？ それは、がらくたをふくらましたようなものです、ヘミングウェイ。死人がね」

「連中がどんなことを書いているのか、見たいんです」と私は言った。「そうすると、物を書いている自分を忘れていられるんです」

「そのほかに、今、何を読んでいますか？」

「D・H・ロレンスです」と私は言った。「とても良い短篇をいくつか書いていますよ。

一つは「プロシア士官」というのです」

「私は彼の小説を読もうと努力したけど、とても仕様のない人ですね。悲しげで、非常識で。まるで病人みたいな書きぶりです」

「私は、「息子と恋人」や「白孔雀」が好きでした」と私は言った。「でも、「白孔雀」は大して好きだったのでもなかったのでしょう。「恋する女たち」は読めませんでした」

「悪いものを読みたくなければ、そして、あなたの興味をとらえるもの、独特のすばらしさをもつものを読みたければ、マリー・べロック・ラウンズを読まなくちゃいけないわ」

私はこの女流作家の名前を聞いたことがなかった。ミス・スタインは、人斬りジャックのすばらしい物語「下宿人」と、パリ郊外のある場所——それはアンギャン・レ・バンとしか考えられなかったが——での殺人を書いたもう一冊の本を、私に貸してくれた。両方とも、仕事の後の書物としてあつらえむきの本で、登場人物はいかにも本当らしいし、行動や恐怖も常に真にせまっていた。仕事をしたあとで読むのに申し分がなく、私はある限りのべロック・ラウンズ夫人の作品を読んだ。けれど、それだけのことで、最初の二つに匹敵するものはあとにはなかった。昼や晩の空虚な時間を埋めるのに、シムノンの最初の良い書物が出るまでは、これほど面白いものはなかった。

ミス・スタインはシムノンの良い作品——私がはじめて読んだのは、「第一号水門」

か「運河の家」だった――を好んだだろう、と私は思う。でも、確信はもてない。私がミス・スタインと知り合ったとき、彼女はフランス語を話すのは好きだったが、それを読むのを好まなかったからだ。私が初めて読んだシムノンの本二冊をくれたのは、ジャネット・フラナーだった。彼女はフランス語を読むのが好きで、警察廻りの記者をしていたころ、シムノンを読んでいた。

ガートルード・スタインと親しい友人関係にあった三、四年の間に、彼女が、自分の作品について好意的な批評を書かなかったり、自分の作家生活を有利に進めるのに何ら役立たなかった作家のことをほめるのを、私は一度も耳にした覚えがない。例外としてはロナルド・ファーバンクと、後にスコット・フィッツジェラルドくらいのものである。私が初めてスタインに会ったとき、彼女はシャーウッド・アンダスンのことを、作家として語らず、一人の男としての彼について、また、彼の大きな美しい、あたたかなイタリアふうの眼や、彼の親切と魅力などについて、熱をこめて語った。私としては、彼の大きな美しい、あたたかなイタリアふうの眼のことはどうでもよく、ただ彼の短篇のいくつかが、とても気に入っていたのである。それらは、単純な書き方で書かれ、時には美しく書かれていた。彼は、自分が題材としている人びとを知り、彼らに深い関心をもっていた。ミス・スタインは、彼の書いた物語について語ることを好まず、常に一人の人間としての彼のことを語った。

「彼の小説についてはどうですか?」と私は彼女にたずねた。彼女は、アンダスンの著作について話したがらなかったと同様に、ジョイスについても話そうとはしなかった。もしジョイスのことを二度話題にしようものなら、もうそれっきり招待にあずかることはないだろう。まるで、一人の将軍のことを好意的な口ぶりで他の将軍に向って話すようなものであった。この誤りをはじめて犯したとたん、そうしてはいけないということがわかるのだ。でも、話し相手の将軍が前に打ち負かしたことのある将軍のことだったら、いつだって話していいのだ。相手の将軍は、負けた将軍をひどくほめるだろう。そして、どういうふうに自分が彼を打ち負かしたかを、喜んで詳細に語るだろう。

アンダスンの書いた物語は、あまりにもうまくて、楽しい会話の種にはならなかったわけである。私は、彼の小説が、奇妙にまずいというようなことを、ミス・スタインに言ってもいいと思っていたが、これも具合のわるいことだった。そういうことをすると、彼女を最も忠実に支持している人の一人を批評することになるからである。アンダスンが、最後には「黒い笑い」という題目で出た、全くひどい、ばかげた、きざな小説を書いたとき、私はそれをもじった文章(「春の奔流」のこと)を書いて、批評してやろうという気をおさえきれなかった。ミス・スタインはとても怒った。私は、彼女の所有する道具の一部をこわしたことになるのだ。けれど、それ以前は長い間、彼女が怒ったりしたことはなかった。彼女自身も、シャーウッドが作家としてはだめになってしまったあとで、彼を気前よくほめはじめたのだった。

彼女がエズラ・パウンドに対して腹を立てたのは、彼が、小さな、もろい、そして当然快適ではない椅子の上に、あっという間に坐ってしまったからである。彼にわざとその椅子がすすめられたということはあり得ない。とにかく、彼はその椅子に割れ目を作ったか、あるいは、こわしてしまったのだ。彼が偉い詩人で、やさしい、心の広い男であり、ふつうの大きさの椅子にならちゃんと腰かけられたであろうということは、考慮に入れられなかった。彼女がエズラを好まないという理由は、手ぎわよく意地悪く表現されることになるが、それは何年もあとででっち上げられたことなのである。

ミス・スタインが失われた世代についての例の言葉を口から出したのは、私と妻がカナダからもどり、ノートルダム・デ・シャン街に住んでいて、ミス・スタインと私がまだ良い友だちであったころのことである。彼女がそのころ乗りまわしていた古いT型フォードの点火装置に何か故障があり、ガレージに働いていた青年——彼は大戦の最後の年に軍隊勤務をした男だった——が不手ぎわだったのか、それとも、たぶん、先着の他の車からなおすという順序を狂わせてミス・スタインのフォードを先に修繕してくれなかったためかもしれない。とにかく、彼はまじめ(セリュー)でないということになり、ミス・スタインが抗議を申し込んだあとで、ガレージの主人(パトロン)にこっぴどく叱られた。主人は彼に向って言った。「お前たちはみんな失われた世代(ジェネラシオン・ペルデュ)だね」

「あなた方はまさにその通りよ。まさにそうよ」とミス・スタインは言った。「戦争に出たあなた方若い人たちはみんな。あなた方は失われた世代（ジェネラシオン・ペルデュ）です」

「そうですか？」と私は言った。

「そうよ」と彼女は言い張った。「あなた方は何に対しても尊敬心をもたない。飲んでばかりいて、しまいに酒が命取りになるんでしょう……」

「あの若い修理工は酔っぱらっていましたか？」と私は聞いた。

「もちろん、そんなことはなかったわ」

「あなたは、私が酔っぱらっているのを見たことがありますか？」

「いいえ、でも、あなたのお友だちは酔っぱらっていますよ」

「私だって酔っぱらったことはあります」と私は言った。「でも、ここへは、酔っぱらって来ませんよ」

「もちろん、そうでしょうよ。そんなことするとは言いません」

「あの青年の主人は、たぶん、午前十一時には、もう酔っぱらっていたんでしょう」と私は言った。「だから、あんな気の利いた文句を考え出したのですよ」

「私と議論なんかしない方がいいわ、ヘミングウェイ」とミス・スタインは言った。「そんなことをしても、まるっきり役に立たないわ。あなた方は失われた世代よ。あのガレージの持主が言った通りだわ」

あとで、私がはじめての小説を書いたとき、私は、ミス・スタインが引用したガレージの持主の言葉と、「伝道の書」からの引用句とをうまく並べようと試みた〔「日はまた昇る」の扉にこれら二つの引用がのせられている〕。けれど、その晩は、家路をたどりながら、私はガレージの青年のことを考え、ああいう車が救急車に変えられ、その一つに彼がほうりこまれたらというような想像をした。車が負傷者を満載して山の道を走り下りるとき、低速ギヤを入れ、しまいに後退のギヤを使う破目になり、そういう車がよくブレーキを焼き切ったことや、最後の車が、空っぽのまま、山の中腹を越してすっとばされ、代りに丈夫なHギヤと、金属ブレーキのついた大型フィアットが入手されることなどを、思い出していた。ミス・スタインや、シャーウッド・アンダスンや、自己中心癖や、精神的怠惰対修練といったことを考え、いったいだれがだれを失われた世代などと呼んでいるのか、と疑問に思った。それから、私はクロズリ・デ・リラというカフェの方へ近づいてゆくと、剣をかざしている私のなじみのネイ元帥像の上に燈火が輝き、ブロンズの上に木々が影をおとしていた。元帥はそこにひとりっきりで、うしろにだれもいなかった。彼はウォータールーで何とじたばたしたことだろう。あらゆる世代は、何かによって失われた。今までずっとそうだったし、これからもずっとそうだろう、と私は考えた。そして、立像とつき合うために、リラへ立寄り、製材所の上手にあるアパートへもどる前に、冷たいビールを飲んだ。でも、ビールを飲みながらそこに坐り、像をつくづくと見て、ナポレオンがコーランクールといっしょに馬車にのって逃げ、あとへ置き去りにしたモスコーから退却中の後衛部隊とともに、何日もの間、ネイが一人で奮闘したことを思い出し、ミス・スタインがどんなに心のあたたかい、情愛のこまやかな友人であったか、また、彼女が、アポリネール〔ギヨーム・アポリネール〕のことや、彼が一九一八年の休戦日に死んだことを、彼女がどんなに美しく語ったかを考えた。アポリネールの死んだ日は、群衆が「ギヨームをやっつけろ」〔ギヨームはドイツ皇帝ヴィルヘルム二世のフランス風の呼び名〕と叫んでいた。アポリネールは、意識混濁の状態にあって、皆が自分を弾劾しているのだと思ったということだった。そういうことを思い出しながら、私は、最善をつくしてスタインのために役立ってあげよう、そして、私にできる限りの間、彼女がした良い仕事に対し、彼女が正当な扱いを受けるようにちゃんとしてあげよう、だから、神よ、マイク〔ミシェル・ネイ将軍の愛称〕よ、助けたまえ、というようなことを心に思った。けれど、彼女の、失われた世代の話や、汚らしい安易なレッテルは、まっぴらごめんだ。家へもどり、中庭を通って階上へあがり、妻と息子と、息子の猫F・プス君の顔を見、皆が楽しそうにしている横の暖炉に火が燃えているのを見たとき、私は妻に言った。「とにかく、ガートルードは本当にいい人だね」

「そうですとも、タティ」

「だが、時には、ばかな話もうんとするが」

「あの人の言うことなんか聞いたことないわ」と妻は言った。「私は奥さんなんですものね。私に話しかけるのは、あの人の友だち〔秘書のアリス・トクラスのこと〕よ」

シェイクスピア書店　*Shakespeare and Company*

当時、私には本を買う金がどこにもなかった。で、シェイクスピア書店の貸本文庫から本を借りてきた。それはオデオン街十二番地にあるシルヴィア・ビーチの貸本屋兼書店であった。冷たい風の吹きさらす通りにあったが、ここは、あたたかくて、陽気な場所であった。冬には大きなストーヴがあり、また本を置いたテーブルや棚があり、ウィンドウには新しい本が置かれ、壁には、現存の、あるいは故人となった有名な作家の写真が掛けてあった。写真はすべてスナップのようで、もう死んでしまった作家でも、まるで現実に生きているように見えた。シルヴィアは、いきいきした、くっきりと彫りの深い顔をし、そのとび色の眼は小さな動物のように生気があり、少女のように快活だったし、ウェーヴした茶色の髪は、りっぱな額からうしろへなでつけられ、耳の下のところ、ちょうど、彼女の着ていた茶色のビロードのジャケツのえりの線のところで、ふさふさした毛がカットされていた。彼女はきれいな脚をしていた。親切で、陽気で、物事に関心が深く、冗談を言ったりゴシップを話すのが好きだった。私の知り合いの中で彼女ほど、私によくしてくれた人はいなかった。

私は、はじめてその本屋へ入っていったとき、とてもはずかしかった。貸本文庫に加入するだけのお金をもちあわせていなかったのだ。いつでも、お金の入ったときに、保証金を払えばいいと彼女は言って、カードを作ってくれ、好きなだけ本をもっていらっしゃいと言った。

彼女が私を信頼する理由は何一つなかった。第一、私のことを知らなかったし、私が彼女に知らせた宛名――カルディナル・ルモワンヌ街七十四番地というのは、まぁ、最低の地域だといってよかった。でも、彼女はにこやかで、チャーミングで、愛想よく、彼女のうしろには、壁と同じ高さに、この建物の中庭に面したうらの部屋にまでずっと伸びて、どっさり貸本文庫の本をのせた棚がつづいていた。

私はツルゲーネフからはじめて、「猟人日記」の二巻と、D・H・ロレンスの初期の本一冊――たしか「息子と恋人」だった――を手にとった。すると、シルヴィアは、ほしければもっとたくさんもっていけと言った。私は「戦争と平和」のコンスタンス・ガーネット版と、ドストエフスキーの「賭博者・その他の物語」とをえらんだ。

「それを全部読むんじゃ、近々またここへくるわけにもいかないでしょうね」とシルヴィアは言った。

「お支払いに参りますよ」と私は言った。「アパートには金がありますから」

「そういうつもりで言ったんじゃありません」と彼女は言った。「ご都合のいいときに払って下さい」

「ジョイスはいつ来ますか？」と私は聞いた。

「来るときは、午後おそくがふつうです」と彼女は言った。「お見かけになったことはないんですか？」

「ミショーで、家族づれで食事しているのを見たことがあるけれど、食事中の人をじろじろ見るのは失礼だし、それにミショーは高いんでね」と私は言った。

「おうちで食事なさるの？」

「今はたいていそうです。良い料理人がいますしね」と私は言った。

「おうちのすぐ近くには、レストランがないんですね？」

「そうです。どうしてご存じ？」

「ラルボー〔フランスの作家ヴァレリー・ラルボー〕がその辺に住んでいました。レストランのないことを除けば、彼はとてもそこが気に入っていました」と彼女は言った。

「おいしくて安いところで一番近いのは、パンテオンの方です」

「あのあたりは知りませんね。私たちはうちで食べますので。いつか奥さんをおつれになって、ぜひいらしてください」

「私がちゃんとお払いするのを見とどけてからのことにしてください」と私は言った。

「とにかく、どうもありがとう」

「あまり急いで読まないでくださいよ」と彼女は言った。

カルディナル・ルモワンヌ街の私のうちは三間つづきのアパートで、お湯も出ないし、防腐剤入りの室内用便器を除いては、室内のトイレットもなかった。けれど、ミシガン州の屋外便所に慣れている者にとっては、まずまず快適といってもよかった。眺望はいいし、良いばねつきのマットレスをゆかの上にしいて気持のいいベッドとし、好きな絵を壁に掛けてあって、それは、はればれした明るい気持のするアパートであった。本をかかえてうちへもどると、私は妻に、すてきな場所を見つけたことを話した。

「でも、タティ、今日の午後行って、払ってこなくちゃいけないわ」と彼女は言った。

「そりゃ、そうするさ」と私は言った。二人で行こうよ、そのあとで河ばたへ下りて河岸(ケー)ぞいに散歩しよう」

「セーヌ通りを歩いて、画廊やら、店のウィンドウをひとつずつのぞきましょうよ」

「そうとも。足の向くように歩いて行って、どこか新しいカフェへ寄ろう。ぼくたちにも知った顔がなく、向うもこちらのことを知らないカフェで一杯飲もう」

「二杯飲んだっていいわ」

「それから、どこかで食事といこう」

「だめよ。貸本文庫に支払いのあるのを忘れちゃだめよ」

「じゃ、うちへもどって、ここで食べよう。うまい食事をして、消費組合で売っているぶどう酒ボーヌを飲もうじゃないか。そら、そこの窓から見えるだろう。ボーヌの値段が窓ガラスに書いてあるよ。そのあとは、本を読み、それから床へ入って仲好くするのさ」

「あたしたち、ほかの人は絶対に好きにならないのよ」

「そうだよ、絶対に」

「なんてすばらしい午後と晩でしょう。さあ、お昼を食べた方がいいわ」

「ひどくおなかが空いた」と私は言った。「カフェでミルク入りコーヒーを飲んで仕事をしたんだものな」

「タティ、うまく行って？」

「大丈夫だと思うよ。そうだといいと思う。昼食には何を食べるかね」

「小さな大根と、子牛の肝（フォア・ド・ヴォー）にマッシュポテト、それにオランダぢしゃのサラダ。アップル・パイ」

「これからは、読まなくちゃならぬ本は何だって手に入るよ。旅に出るときは、それをもってゆくのだ」

「そんなことをして、わるくないかしら？」

「もちろんさ」

「あのお店にヘンリー・ジェイムズもあるかしら？」

「もちろん」

「まあ」と彼女は言った。「そういう場所を見つけて、私たち運がいいわね」

「いつだって、運がいいさ」と私は言ったが、うっかりして、木をたたかなかった。〔軽はずみに自慢などをしたあとで、応報の女神の怒りをやわらげるため手近の木材にふれる、という迷信〕それに、そのアパートには、たたくつもりなら、いたるところに木造のものがあったのに。

セーヌの人びと *People of the Seine*

カルディナル・ルモワンヌ街の高い所から、河へ向っておりてゆくのに、たくさんの道があった。一番の近道は、まっすぐ通りを下りてゆくことだったが、その道は急で、つき当たりが平地になり、そこからサン・ジェルマン通りのはじまるその箇所で、いそがしく行き交う車の間を横切ると、あまりパッとしないところへ出てしまうのだ。そこは、さむざむとした、風の吹いている河岸（ケー）が伸びている所で、右手には、ぶどう酒市場（アル・オー・ヴァン）があった。それはパリの他の市場とちがい、一種の保税倉庫で、そこにはぶどう酒が税金支払の日を待ちながら貯蔵されていて、外から見ると、軍隊の倉庫や捕虜収容所みたいに、殺風景であった。

セーヌ河の支流を越すと、サン・ルイ島があり、そこにはせまい街路や、古い、背の高い、美しい家々が並ぶ。そこへゆくのもいいが、あるいは左折して河岸にそってずっと歩き、対岸にのびるサン・ルイ島や、次いでノートルダム寺院やシテ島を見てゆくことができる。

河岸の古本の露店で、ときどき、出版されたばかりのアメリカの本がとても安く売りに出されているのを見かける。トゥール・ダルジャンというレストランは、当時レストランの階上に貸部屋をいくつかもっていて、そこに住んでいる人たちには、レストランで割引をしてくれた。そこの住人が本を残していったりすると、部屋つきの下僕（ヴァレ・ド・シャンブル）が、河岸からあまり遠くない露店の本屋へそれを売り払い、人はその店の女主人から、ほんのわずかのフランを払って、その本を買いとることができたのである。彼女は英語で書かれた本には自信がなく、ほとんどただみたいにそれを買取り、今度は少しの利益と引き換えにでもいいから早くそれを売ってしまうのだった。

「いい本がありますか？」と、彼女は、私と親しくなってから聞いた。

「ときどきは、いいのもあります」

「どうしたらそれがわかりますか？」

「読んでみたら、わかりますよ」

「でも、やっぱり、ばくちみたいなものですわね。それに、英語の読める人だって、どのくらいいるものか?」

「私のために、本をとっておいてくれませんか。ざっと目を通させてください」

「だめよ。とっておくわけにはいきません。あなたは、きちんとお寄りにならないから。ときには、ひどく長いことお見えになりませんものね。私は本をなるべく早く売らなくちゃならないんです。それがくだらぬ本かどうか、だれにもわかりませんわ。もし、くだらぬものということになったら、どうしたって売れやしません」

「値打ちのあるフランスの本は、どうして見わけますか?」

「まず、絵がありますよ。それから、その絵の質も問題です。それから装幀です。もし本が良いものなら、持主はちゃんと装幀させますよ。英語で書いてある本は皆、装幀してあるけれど、まずい装幀です。判断のくだしようもありません」

トゥール・ダルジャン近くのその古本屋を通り越すと、ケー・デ・グラン・ゾーギュスタンへくるまでは、アメリカやイギリスの本を売っている本屋は他になかった。そこからさらに進んで、ケー・ヴォルテールの先までゆく間に、二、三軒あったが、そこでは、セーヌ左岸のホテル、特に、たいていのところよりは金まわりのいい客筋をもっているホテル・ヴォルテールの雇い人たちから買い取った本を売っていた。ある日のこと、私は友だちであったもう一人の古本屋の女主人に、本の持主が本を売りにくることがあるかどうかたずねてみた。

「いいえ、本は皆棄てられるのです。だから、そういう本はくだらない本だとわかるのです」

「そういう本は、船の上で読むようにと、友だちが渡すのですよ」

「それに違いないわ」と彼女は言った。「きっと、たくさんの本を船の上においていくでしょうね」

「その通りです」と私は言った。「船会社がそれをとっておいて、装幀し、船の図書にしてしまうわけです」

「そりゃ、頭のいいやり方ね」と彼女は言った。「じゃ、少なくとも、本はちゃんと装幀されるわけね。今は、そういう本に値打ちが出ているでしょう」

私は、仕事を終えたときとか、何か考え出そうと試みているとき、河岸にそって歩くのが常だった。私は、歩いているとか、何かをしているとか、人びとがそれぞれ自分が理解している仕事をしているのを見るとか、そういうときの方が、考えごとをしやすかった。アンリ四世の立像のあるポン・ヌフ橋の下手にシテ島のつき出したところで、この島は船の鋭いへさきのような尖端となって終っていた。そこには水ぎわに小さな公園があり、見事な栗の木が巨大な姿で枝をひろげ、セーヌ河が流し去る強い水流や逆流の中には、すばらしい魚釣り場があった。階段を下りて公園へゆき、そこの橋の下で魚を釣っている人たちを見ることができた。釣りに良い地点は、河の水位によって変った。釣り人たちは、長い継ぎ竿を用いたが、とても細い先糸と軽いギヤと羽根うきで釣り、釣り場の水中に、巧妙に餌をつけた。彼らはいつも何匹かの魚をとり、グージョンと呼ばれるウグイのような魚のすばらしい獲物のあることがしばしばだった。この魚は丸ごとフライにするとおいしく、私は一皿一杯でも食べられた。新しいイワシとくらべたって、それ以上のこまやかな味がし、ふっくらして、肉はくさみがなかった。それにちっとも油っこくなく、私たちは骨ごと食べた。

それを食べるのに一番良い場所の一つは、バ・ムードンで、河にさしかけるようにして建てられた戸外のレストランだった。私たちは、うちの辺りから、遠出する金のあるときは、よくそこへ行った。そのレストランは「奇蹟の釣り（ラ・ペッシュ・ミラキュルーズ）」という名前で、ミュスカデに類するすばらしい白ぶどう酒を出した。モーパッサンの物語に出てくる場所で、シスレーが絵に描いたような、河の眺めをもっていた。グージョンを食べるだけなら、そんなところまで行く必要はなかった。サン・ルイ島でだって、とても旨い魚のフライ（フリチュール）が食べられた。

セーヌ河で獲物の多い部分、サン・ルイ島とプラース・デュ・ヴェルト・ガラントの間で、釣りをしている人びとの中の数人を、私は知っていた。ときどき、太陽の輝いている日には、一リットルのぶどう酒と、ひときれのパンといくらかのソーセージを買い、私は日なたに坐って、持ってきた本の一冊を読み、釣りをながめるということを、よくやった。

旅行作家たちは、セーヌの釣りびとのことを、気ちがいじみていて、何一つ釣れはしないんだ、というようなことを書いているが、この釣りはまじめで生産的な釣りなのだ。釣りびとたちの大部分は、少しばかりの年金――インフレーションのため、それが無価値になってしまうことを、当時彼らは知らなかった――をもっている人とか、あるいは仕事を休んだ一日とか半日とかに釣りをしている熱心な釣り師であった。マルヌ河がセーヌに注ぐところにあるシャラントンとか、パリの両側では、いっそう良い釣りができたが、パリの町中でも、とても良い釣りができた。私は釣りをしなかった。道具をもっていなかったし、スペインで釣りをするため、金をためておく方を好んだからである。そのときもまた、私は、仕事がいつ終るのか、いつ出かけねばならぬのか、ちっとも判っていなかった。で私は、調子のいいときとふるわぬときとある釣りというものにかかわりをもちたくなかった。でも、釣りのことは気をつけて見ていた。それについて知ることは面白いし、良いことでもあった。パリの町中で釣りをしている人たちがいて、健全でまじめな釣りをし、家族の者にいくらかの魚のフライ（フリチュール）をもって帰るのだ、と思うと、私はいつも楽しい気持になった。

釣りびとと、河の上の生活、船上生活者をのせたきれいな荷船、橋の下を通るとき煙突がうしろへ折りたためるようになった、荷船の引き綱をひっぱってゆく曳き船、河の石堤の上に生えている大きなニレの木、プラタナスや、ある場所ではポプラの木。そういうものにかこまれ、河の岸で、私は寂しい思いをしたことは一度もなかった。町の中にこんなにたくさんの木があるので、春が毎日やってきそうだった。そしてしまいに或るあたたかな風の吹いている晩のあくる朝、突然春がきたことを見るのだ。時には、ひどい冷雨が春を打ち退け、もう春はきそうにもなくなってしまい、人びとの生活から一つの季節がなくなろうとしているように思えることもある。その時だけがパリの本当に悲しい時だ。それは自然に反することだから。私たちは、秋に悲しくなるのを期待する。葉が木から落ち、風や冷たい冬の光を受けて、木の枝々が赤裸になるとき、毎年、仲間のだれかが死んだ。でも、河が凍てたあとで再び流れ出すように、必ず春がやってくることは、わかっていた。冷雨がつづいて、春の息の根を止めるのは、まるで若者が何の理由もないのに死ぬようなものであった。

けれども、あのころは、春はおしまいにはきっとやってきた。だが、もう少しで来そこないそうだったことは、人の心をひやひやさせた。

偽りの春　*A False Spring*

春が来ると、たとえ偽りの春だとしても、どこへ行ったら一番たのしいか、ということ以外に問題はなかった。一日を台なしにしそうなただ一つのことは、人間どもだった。もし約束などしないですませたら、毎日は無限であった。人間というものは、春自身と同じくらいに良い、ごく少数の人を除くと、いつでも、幸福を限る者どもばかりだ。

春の朝は、私は朝早く、妻がまだ眠っている間に、仕事をする習慣だった。窓は開け放され、街路の丸石は、雨のあと、乾きかけていた。太陽は、窓に向い合っている家々のしめった顔を乾かしていた。店にはまだよろい戸がおろしてあった。山羊飼いが笛を吹きながら通りをやってくると、私たちの上の階に住んでいる一人の婦人が、大きなつぼをもって歩道へ出てきた。山羊飼いは、重そうな乳房をした黒い乳山羊の一つをえらび、つぼの中へ乳をしぼった。一方では、彼の犬は他の山羊たちを歩道の上へ押し上げていた。山羊たちは、観光客のように首をまわしながら、まわりを見廻した。山羊飼いは、代金を婦人からもらい、お礼を言って、笛を吹きながら、通りを上っていった。犬は、角(つの)を上下にうごかしている山羊を追いながら、前へ前へと進んでいった。私は、書く仕事にもどった。すると例の婦人は、山羊の乳をもって階段をあがってきた。彼女はフェルト底のついた靴をはいていたので、彼女が私たちの部屋のドアの外側の階段で立止ったときに、ハアハア息をし、それから自分の部屋のドアを閉める音しか聞えなかった。私たちのいた建物では、彼女だけが山羊の乳のおとくいさんだった。

私は下へおり、朝の競馬新聞を買おうと決心した。いくら貧しい界隈だって、少なくとも競馬新聞の一部くらい売っていない所はない。でも、こんな日には、朝早くそれを買わなくてはならなかった。私はそれをデカルト通りのコントルスカルプ広場に面したかどで見つけた。山羊たちは、デカルト通りをくだってゆくところだった。私は深呼吸して、足早やにもどってきた。階段をのぼって、部屋へ帰り、仕事を片付けようとしたのだ。私は外にとどまって、早朝の街路を、山羊についていきたいという誘惑にかられていた。でも、私は仕事を再びはじめる前に、その新聞を見た。アンギャンで競馬があった。そこは、小さく、きれいなトラックで、よそ者の集まる所で、人の金をまき上げる競馬場ということになっている。

そこで、その日は、仕事が終ってから、私たちは競馬にゆくことにした。私が記事を送っていたトロントの新聞から、いくらか金がきていた。私たちはできたら大穴をねらおうと思った。妻は、あるときオートゥーユ競馬場で、黄金の山羊（シェーヴル・ドール）という名の馬に賭けたことがあった。それは一対百二十という大穴で、最後のジャンプのところで倒れるまでは、他の馬を二十馬身も引きはなしていた。そのままいけば、奴は、私たちの半年分の生活費をかせぎ出せるところだった。私たちは、二度とそのことを考えないように努めた。その年は、シェーヴル・ドールに賭けるまでは、私たちは黒字だった。

「タティ、あなたは、本当に賭けるだけのお金をもっているの?」妻がたずねた。

「いや。手に入るだけを使うように考えてみるんだ。ほかに何かもっといい金の使い道はあるかね」

「そうね」と彼女は言った。

「わかってるよ。ずいぶん苦しくて、金のことになると、ぼくはケチケチした品のない仕うちをしてきたな」

「いいえ」と彼女は言った。「でも――」

私は、自分がどんなにきびしかったか、どんなに不景気だったかを、知っていた。自分の仕事をしながら、それから満足を得ている人間は、貧乏などに心を煩わされぬ人間だ。私は、水洗のバスタッブやシャワーやトイレットを、私たちより劣った人間のもっているものとして、あるいは、旅をするとき――実際私たちはよく旅した――快適さと感ずるものとして、考えた。河の近くで、通りを下りたところに、行こうと思えばいつでも行ける公衆浴場があった。私の妻は、こういうことに関して一度だって文句を言ったためしがなかった。ちょうど、シェーヴル・ドールが倒れたとき、泣いたりしなかっったのと同じである。今思い出すと、彼女は馬のために泣いたかもしれないが、お金のためには泣かなかった。彼女がグレイの小羊の毛皮のジャケツをほしがったとき、私はばかに頑固だったが、いったん彼女がそれを買うと、それが気に入ってしまった。私は、ほかのことでも、ばかみたいだった。それはすべて、貧乏に対する戦の一部分だった。金を使わないでいるよりほか、勝目はなかった。特に、衣服の代りに、絵など買おうものなら。しかし、そのころは、私たちは、みずからを貧乏だなどとはちっとも考えなかった。そういう考えは受けつけなかった。自分たちは人より上等の人間であり、私たちが見くだし、かつ当然、不信をもっている人たちが金持だ、というふうに考えた。保温のため、下着の代りに厚地のセーターを着ることを、私はちっとも変に思わなかった。金持の人に変に見えるだけのことだ。私たちは、たっぷり安く食べ、たっぷり安く飲み、たっぷりあたたかに添い寝をし、お互いを愛し合った。

「行かなくちゃ、と思うわ」と妻は言った。「ずいぶん長く、行っていませんもの。お昼食とぶどう酒をいくらか持っていきましょう。あたし、おいしいサンドイッチを作るわ」

「汽車で行こう。その方が安い。でも、きみが、行かない方がいいと思えば、行くのはよそう。今日することは何だっておもしろいよ。すばらしい日だ」

「行くべきだ、と思うわ」

「他のやり方で金を使いたいとは思わないかい？」

「いいえ」と彼女は尊大ぶって言った。そういう尊大さを表すのに、頬ぼねが高くなっているのが可愛かった。「あたしたち、とにかく、こんな人間なんじゃない？」

そこで、北駅（ガール・デュ・ノール）から汽車で出かけ、町の一番汚い、一番悲しい部分を通って行った。そして、待避線のところから歩いて、オアシスのような競馬場へやってきた。まだ早かったので、新しい短く刈られた草のどてに私のレインコートをしいて、二人でその上に坐った。そして昼食をたべ、ぶどう酒のびんから飲み、古びた正面観覧席、茶色の木造の馬券売場、トラックの緑の芝生、さらに濃い緑のハードル、褐色に光って見える水壕（すいごう）、水しっくいを塗った石塀、白い柱と横木、新しい葉をつけた木々の下に囲われた芝地、その集合場へ最初の何頭かの馬が歩かせられてくるのなどを見た。私たちはさらにぶどう酒を飲み、新聞で馬のコンディションを調べ、妻はレインコートの上に横になり、日光を顔に受けたまま眠った。私は、ちょっと向うへ行ったら、ミラノのサン・シロ競馬場で昔から知っている男に出会った。彼は私に二頭の馬を教えてくれた。

「念のため言っておくが、これは投資じゃないんだぜ。ところで、金額をきいて、しりごみしないでくれよ」

私たちは、使える金の半分で、最初のレースに勝った。賭けた馬は、十二倍の配当をよこした。あざやかにジャンプし、向う側のコースでは先頭を切り、こちらのコースへ入ってきたときは四馬身の差をつけていた。私たちは、金の半分をとって、しまいこみ、あとの半分を第二番目の馬に賭けた。その馬は、スタートが早く、ハードルをいくつかとびこす間ずっと先頭を走り、平坦なコースへ来ると、ひと跳びごとにますます好調の波にのり、そのまま鞭で二回連打されながらゴールまで走りつづけた。

私たちは観覧席の下のバーへゆき、シャンペーンを一杯やりながら、配当額の掲示が上るのを待つことにした。

「まあまあ、競馬って、人を苦労させるわね」と妻は言った。「あの馬が、あたしたちの馬につっかかってきたのを見た？」

「今でも、それを思うと胸がどきつくよ」

「今度の馬はいくらになって？」

「分け前（コート）は十八倍というところだったが、どたん場で、奴に賭けた連中がいるかもしれないな」

馬たちがもどってきた。私たちのはびしょぬれで、鼻の穴を大きく開いて息をしていた。騎手がその馬を軽くたたいていた。

「かわいそうな馬」と妻が言った。「あたしたち、ただ賭けるだけなのに」

馬たちが通り過ぎるのを見守り、私たちがもう一杯シャンペーンを飲んでいると、勝の金額の数字が掲げられた。八十五である。つまり、十フラン出したのに対し、八十五フランのもうけということだ。

「人は、しまいには、ずいぶんのお金を賭けるだろうな」と私は言った。

しかし、私たちはたくさんの金、自分たちにとっては大金、をもうけた。いまは春だし、金もできた。自分たちの必要なのはそれだけだ、と私は思った。そういう日には、もし、もうけた金を各自四分の一ずつ使うことにすると、半分は、競馬のもとでとして残った。私は、競馬のもとでを、他のすべてのもとでとは別にして、かくしておいた。

その同じ年、あとになってからのある日、私たちは例によって旅からもどったのだったが、再びどこかの競馬場で好運をつかんだ。そのときは、帰り途で、プルニエに寄った。ウィンドウの中に、はっきり値段のついた珍味が並べられているのを全部見てから、店へ入って、カウンターに坐った。私たちは牡蠣とメキシコがにを、何杯かのサンセールといっしょに味わった。暗やみの中を、チュイルリーの庭園を通って歩いて帰ったが、途中、立止って、カルーセルの凱旋門（アルク・ド・トリオンフ）を通して庭園越しに向うの方を見渡した。そこには整然とした暗黒を背に、コンコルド広場の燈火が並び、その彼方に燈火の上り坂が、ずっと長くつづいて、凱旋門に達していた。それから、ふり返って、ルーヴルの暗やみの方を見て、私は言った。「三つの凱旋門が一直線上にあると、本当に信ずるかい？ ここにある二つと、ミラノのセルミオーネの凱旋門と」

「タティ、あたし知らないわ。そういう説があるんだから、きっとたしかなんでしょう。

雪の中を山登りしてから、セント・バーナード峠のイタリア側の春の中へ出てきたときのこと、覚えてる？　あなたと、チンクと、あたしと、春の中を一日中歩いて、アオスタへ下りていったでしょう？」

「チンクは、あのときのことを〈町を歩く靴をはいて、セント・バーナード越え〉と言ったっけ。きみの靴を覚えてる？」

「あたしのかわいそうな靴。あたしたち、ガレリアのアーケードにあるビフィの店で、フルーツ・ポンチを食べたこと、覚えてる？　カプリ〔カプリ島産のぶどう酒〕や新鮮な桃や野苺を、背の高い水差しに氷といっしょに入れて」

「あのときが、三つの凱旋門のことでふしぎに思ったときなんだ」

「あたし、セルミオーネのこと、覚えてるわ。この門に似てるわね」

「きみはエーグルの宿屋のことを覚えているかね？　あそこで、あの日、ぼくが釣りをしている間、きみとチンクは庭に坐って本を読んでいただろう？」

「そうよ、タティ」

私はローヌ河を思い出した。狭くて、灰色で、雪どけ水が一杯に流れ、両側にマスのいる二つの川――ストッカルパーとローヌ運河があった。ストッカルパーは、その日、澄み切っていたが、ローヌ運河の方は、まだ黒ずんでいた。

「マロニエに花が咲いていたころ、たしかジム・ギャンブルがフジぶどうについてぼくに話してくれた一つの物語を、何とかして思い出そうとして、とうとう思い出せなかったことを覚えている？」

「ええ、タテイ。そして、あなたとチンクはいつも、物事について書いて本当らしくするにはどうするか、それらを叙述などせずに、正しく表現する方法について話し合っていたわね。あたし、何でも覚えてるのよ。彼が正しかったこともあるし、あなたが正しかったこともあるわ。あなた方が議論した光や組織や形状のことを思い出すわ」

さて、私たちは、ルーヴルを通過して、門口から出てきた。それから、外の通りを横切って、橋の上に立っていた。石によりかかり、河を見おろしながら。

「あたしたち三人共、何についてでも、そしていつも特殊な物事について、議論したわね。そしてお互いをからかい合ったわ。旅行の間中、あたしたちのしたことも、しゃべったことも、全部覚えているわ。本当にそうよ。何についてでもよ。あなたとチンクが話している間、あたしも仲間に入れられていたわ。ミス・スタインの家で、奥さんづらをしているのとは、わけが違うの」とハドリーは言った。

「フジぶどうについての物語を思い出せたらいい、と思うね」

「それは大したものじゃなかったわ。大事なのは、ぶどうだったのよ、タテイ」

「ぼくが、エーグルからぶどう酒を買って、山小屋へ戻ってきたことを覚えているかい？　宿屋でそれをぼくたちに売ってくれたんだ。マスといっしょに飲むべきだと言われたね。それを「ラ・ガゼット・ド・ルセルン」新聞にくるんで、もって帰ったように思うが」

「それにシオンのぶどう酒はもっとおいしかったわ。あたしたちが山小屋へもどったとき、ミセス・ガンゲズヴィッシが、アルコール分の少ない赤ぶどう酒(オー・ブルー)で、マスを料理したのを覚えてて？ タテイ、あれは、すてきなマスだったわ。あたしたち、シオンのぶどう酒をいただき、外のポーチで食事をしたわ。山腹が足もとへ落ちるように傾斜し、湖を越して、半分ほど雪をかぶったダン・デュ・ミディの峰と、湖へ流れ込んでいるローヌの河口に茂る樹木が見られたわ」

「冬と春には、いつも、チンクのことをなつかしく思い出すね」

「いつもよ。今、春が行ってしまっても、あたし、彼のことをなつかしいと思うわ」

チンクは職業軍人で、サンドハースト〔イギリスの陸軍士官学校所在地〕からモンス〔ベルギー南西部の都市〕へ来ていたのだった。私は彼にイタリアで初めて会った。彼は私の一番の親友になり、それから長い間私たち夫婦の一番の親友になった。彼はそのころ、休暇のたびに私たちの家に滞在した。

「彼はこの次の春に休暇をとろうと努力しているのよ。先週、コローヌ〔ドイツのライン河に面した都市〕から手紙をよこしたわ」

「知ってるよ。今は生を満喫しなくちゃ、一分一分をね」

「今、この橋脚に水がぶち当るところを見てるわけだけど、河上の方には何が見えるか、見てみましょうよ」

私たちは目を上げた。そこにはちゃんとすべてがあった――私たちの河も、私たちの町も、また私たちの町の中の島も。

「あたしたち、幸運すぎるわ」と彼女は言った。「チンクが来れたらいいのにね。あたしたちのことをかまってくれるわ」

「彼は、そうは思っていないよ」

「もちろん、そうよ」

「彼は、ぼくたちが二人で、探検して歩いているんだと思ってるよ」

「あたしたち、そうしてるわ。でも何を探検してるかが問題よ」

二人は、橋を越してゆき、自分たちの家のある方の河岸へきた。

「また、おなかがすいたかい?」と私は聞いた。「二人とも。しゃべったり、歩いたりして」

「もちろんよ、タテイ。あなたはすかない?」

「すてきな場所へ行って、本当に豪勢な食事をしよう」

「どこへ?」

「ミショーでは?」

「そりゃ申し分なしよ。それにとても近いし」

それで、私たちは、サン・ペール通りを上ってゆき、ジャコブ通りとぶつかる角まできた。途中で立止っては、ウインドウの中の絵や家具をのぞきこんだ。ミショーのレストランへくると、外側に立って、貼られてあるメニューを読んだ。ミショーは混雑していた。私たちは、客がもうデザートのコーヒーを飲んでいるテーブルを見張りながら、客が出てくるのを待った。

歩いたため、私たちは再び空腹だった。ミショーは、私たちにとっては、心をわくわくさせる高価なレストランであった。そこは、当時、ジョイスが家族の人たちといっしょに食事した所だった。ジョイス夫妻は、壁を背にして坐り、ジョイスが片手でメニューをもち上げて、分厚いめがね越しにのぞきこみ、健啖(けんたん)だけれど、味には繊細な舌をもっているノラが彼の横に坐っていた。やせていて、おめかしやで、うしろから見ると、頭の髪のつやつやしたジョルジョ。ルシアはふさふさとカールした髪をしていたが、まだ大人になり切っていない。彼らは皆イタリア語を話していた。

そこに立って、私は、自分たちが橋の上で感じたことのうちのどのくらい多くが、ただの飢えであるのかしらといぶかった。妻に聞くと、彼女はこう言った。「わからないわ、タテイ。いろんな種類の飢えがあるもの。春にはもっとたくさんの飢えがあるわ。でも今はそれも失くなってしまった。思い出も飢えだわ」

私は愚かだった。ウィンドウをのぞいて、二つの薄切ひれ肉料理（ツルヌドー）が出されているのを見て、自分が単純な飢えを感じていることを知った。

「きみは、ぼくたちが今日は幸運だったと言った。もちろん、そうだった。でも、とても良い助言と知識を得たね」

彼女は笑った。

「あたし、競馬のことを言っていたわけじゃないのよ。あなたは、融通のきかない人ね。あたしは、ほかの意味で、幸運だと言ったの」

「チンクが競馬に関心をもつなんて考えられないね」私は自分の愚かさを打ち切りにして言った。

「そうよ。彼がそれに関心をもつのは、自分が馬に乗っているときくらいのものよ」

「きみはもう競馬に行きたくないかね？」

「もちろん行きたいわ。今は、また行きたくなったら、いつでも行けるんですもの」

「でも、きみは本当に行きたいの？」

「あたりまえよ。あなただってそうでしょう？」

ミショーの店へ入ってから、すばらしい食事だった。でも、食べ終って、もはや飢えの問題がなくなったときも、私たちが橋の上にいたときに持ったあの飢えのような感じが、家の方へ向うバスに乗ったときに、まだつきまとっていた。私たちが部屋へ入ったときも、ベッドについたときも、暗やみの中で抱き合ったときも、それはそこにあった。窓を開けたまま寝ていた私が目覚めて、背の高い家々の屋根に月が照っていたときも、それはそこにあった。私は、照りこむ月光が当たるのを避けて、顔を蔭に置いた。けれど眠れず、そのことを考えながら、横になったまま目をさましていた。私たちは二人とも、夜の間に二度目がさめた。で、今、妻は月の光を顔に受けて、すやすや眠っている。私はそのことを考え抜こうと努めねばならなかったが、私はあまりに愚かであった。その日の朝私が目をさまして、偽りの春が来ているのに気づき、山羊のむれをつれた男の笛を聞いて、外へ出て、競馬新聞を買ったときは、人生はしごく単純に見えていたのだったが。

しかし、パリはたいへん古い町であり、そして私たちは若かった。そこでは、何一つとして単純なものはなかった。貧乏でさえも、突然手に入る金も、月の光も、正も誤も、また、月の光を浴びてお前さんの横にねているだれかの息づかいも、単純ではなかった。

内職を止める *The End of an Avocation*

その年も他の何年かも、早朝に私が仕事をしたあとで、私たちはさらに何度も何度も競馬に同行した。ハドリーは競馬を楽しみ、時にはそれに熱を上げた。けれど、それは、高い山の牧場で、上端の森を越してさらに上へ登ることとも違っていたし、山小屋へもどってくる夜の旅とも違っていたし、また、私たちの一番の親友チンクと、未知の国の高い峠を越えることとも同じでなかった。それは、また、本当の競馬でもなかった。それは、馬に賭けることだった。でも、私たちは、それを競馬と呼んでいた。

競馬のために、私たちの間が割かれることは決してなかった。そういうことのできるのは、人間だけだ。しかし、長い間、競馬は、まるでものねだりする友人のように、私たちにくっついて離れずにいた。そう考えるのは、寛大な考え方だった。人間について、また、人間の破壊性について、極めて公正な意見をもっているこの私は、この競馬という友人だけは大目に見た。その友人こそ、最も不実で、最も美人で、最も刺激的で、邪悪で、しかも利益を与えてくれることもあるから、ものねだりする友人だといってよかった。それが利益をもたらすようにすることは、私がそれにかかりっきりになっていてもまだ足りないくらいの大仕事で、私にはそんなことをする時間がなかった。けれど、私は、自分で競馬を正当化した。自分がそれを作品に書いたから、という理由である。最後に、私の書いたものがすべて失くなるときに、ただ一篇の競馬のストーリーしか残らなかったとしてもだ。とにかく、その作品は、郵便で出されてしまったから、そう思ったのだ。

今、私は前よりも多く、ひとりで競馬に行こうとしていた。私は競馬に頭をつっこんで、それにかかずらいすぎるようになっていた。できるときは、オートゥーユとアンギャンの二つの競馬場へ、シーズン中に出かけて、賭けた。馬に対するハンディキャップのつけ方について智恵を働かせるのは、かかりっきりの仕事になった上、そういうふうにしていては、金もうけなどできなかった。それは机上の空論だからだ。そういうことを知りたいのなら、新聞を買えばよかったのだ。

障碍（しょうがい）レースを、オートゥーユの観覧席のてっぺんから、見守る必要があった。そして、おのおのの馬の走り具合を見、勝つ見込みがあったのに勝たなかった馬を見、なぜ、あるいは、たぶん、どういうふうにして、その馬が予想を裏切ったのかを見るために、すばやく、上へ昇らねばならなかった。自分が目をつけている馬がスタートするたびに、金額とか、すべてのハンディキャップの移動に目をくばったし、馬の動き具合を知らねばならなかったし、しまいには、いつ、うまやの連中が賭けるのかも知ることになった。そういうときでも、馬は負けるかもしれない。でもそのときまでには、きみは、その馬の勝つ見込みがわかることになるだろう。それは難事だったが、オートゥーユへ出かけて、大物の馬の出るまともなレースの見られるとき、馬の走る日ごとに競馬を見るのは、目をたのしませることだったし、また、今まで知っていたどの場所にもまして、コースのことをよく知るようになった。そして、けっきょくは、たくさんの人と知り合いになった。騎手や調教師や馬主を知り、それに多すぎるくらいの馬や物事を知った。原則として、私は、賭けの対象になる馬があるときしか賭けなかった。けれど、ときどき、馬を調教し、乗廻している人以外はだれもあてにしていない馬を見つけることもあった。そういう馬は次々とレースに勝ち、私は、その馬に賭けて勝った。それがあまり時間をとるので、私はとうとう止めてしまった。私はあまりそれに頭をつっこんでしまい、アンギャンで、あるいはまた、平地競走のコースで、いつも行われることを知りすぎてしまったくらいだ。

レースに賭けることを止めたとき、私は心中喜んだけれど、一つの空虚を残された。そのときまでに、私は、良いものでも悪いものでもすべて、それが止むと、空虚を残す、ということを知っていた。でも、それが悪いものであるときは、空虚はひとりでに埋まった。もしそれが良いものだったら、それより良いものを見つけなければ、空虚が埋まらない。私は競馬用の資金を一般の貯えにもどし、心が安らいでいい気持になった。

競馬を断念した日、私は河の向う側へ出かけて、ギャランティ信託の旅行者係のデスクで働いていた友人のマイク・ウォードに会った。その銀行は、当時、ブールヴァール・デ・ジタリアンとリュー・デ・ジタリアンの交叉点にあった。私は競馬用の資金を預金しようとしてはいたが、そのことはだれにも話さなかった。そのことは常に頭に置いていたが、その金を小切手に記入するには至らなかった。

「昼食をくいに行かないかい？」と私はマイクに聞いた。

「やあ、行くとも。うん、今出られるよ。いったいどうしたんだ？　競馬に行くところか？」

「いや」

私たちは、ルーヴォワ広場にある、とても良い、簡素な酒場（ビストロ）で昼食を食べた。そこではすばらしい白ぶどう酒が飲めた。広場を越したところに、国立図書館があった。

「マイク、きみは、あまり競馬に行ったことはないね」と私は言った。

「そうだ。もう長いこと行かない」

「どうしてお見限りなんだい？」

「わからないね」とマイクは言った。「そうだ。わかったよ。おもしろがるために賭けをするものなんて、見る値うちがないからさ」

「きみは、ちっとも出かけないのか？」

「大きなレースを見に、ときどき行くよ。良い馬の出るレースをね」

私たちは、酒場のうまいパンの上に練り肉（パテ）を塗り、白ぶどう酒を飲んだ。

「そういうレースにだいぶ熱を入れたのか、マイク？」

「うん、そうだ」

「それよりもっと良いものはあるかね？」

「競輪だ」

「そうかね？」

「賭けをする必要はないからね。あとでわかるよ」

「競馬はとても時間を食うね」

「時間がかかりすぎるよ。自分の時間を全部とられてしまう。それに、あそこにいる連中が気にくわない」

「ぼくはとても興味があったよ」

「そりゃそうだろう。きみは旨くやっているのかい？」

「大丈夫だ」

「止めるのはいいことだよ」とマイクは言った。

「もう止めてしまったよ」

「止めにくかったろう。ね、きみ、いつか競輪に行こうや」

それは、私があまり知らない、新しくておもしろいことだった。でも、私たちはすぐにはそれをはじめなかった。それは、後のことだった。それは、あとで、パリでの経験の第一部が終ったころ、私たちの生活の大きな部分を占めるようになったのだ。

しかし、ただパリの私たちの界隈へもどってきて、競馬場から足を遠ざけ、私たちの生活と仕事に賭け、知り合いの画家たちに賭け、もはや、ばくちで生計を立てながら、それをばくちとは別の名で呼ぶ、というような生活をすっぱり止めたままの状態で、長い間、私たちは十分満足だった。私は競輪についてのたくさんのストーリーを書き始めたが、室内および室外走路（トラック）や道路上の実際のレースに匹敵するような良い作品を書かなかった。けれど、私は、ヴェロドローム・ディヴェール（室内競輪場）の雰囲気をつかまえる。そこにあるのは、午後の煙った光の中に、高い斜面になった木造のトラック、乗り手が通過するときに、板の上にブンブンひびくタイヤの音。乗り手が、おのおの自分の車の一部となって、走り上り、走り下るときの奮闘と策略を、自分は描くのだ。私は中距離競走（ドミ・フォン）の魔力をつかまえる。ローラーをうしろにつき出した自動自転車（モーター）の音。それにはトレーナーが乗っていて、重い防護ヘルメットをかむり、重苦しい革製の服をきて、うしろへ身をそらし、自分たちのあとにつづく乗り手を、空気の抵抗から守ってやる。乗り手は、もっと軽い防護ヘルメットをつけ、ハンドルバーの上に身を低くかがめ、両脚で、大きなギヤの鎖歯車をまわし、小さな前輪は、人を乗せて息ぬきさせる役目をしている自動自転車のうしろのローラーに接している。それから、何よりも人を興奮させる一騎打ちがある。モーターサイクルのパッパッという音。乗り手は、ひじを並べ、車輪を並べて、殺人的スピードで、上ったり、下ったり、廻ったりし、遂には、一人の男はペースを守ることができず、横へそれ、彼がそれまでぶつからないように隔てられていた硬い空気の壁が、今や彼に衝突する。

実にいろんな種類のレースがあった。単純な短距離競走が予選として行われたり、あるいは、決勝レースとして行われる。あとの場合は、二人の乗り手が、何秒間かかけてゆっくり自分の車で調子をとり、うまく相手の乗り手に先を越させ、それからそろそろとコーナーをまわって、最後にまっしぐらのスピード競走にとびこむ、ということもあった。二時間にわたるチーム同士のレースのプログラムもあった。一連のただの短距離競走が予選として行われて、午後の時間を一杯にした。一人の男が、一時間も、時計と競争して走る、全くスピード記録のための独走もあったし、大きな木造の五百メートル・コースの斜面をもったスタード・バッファローでの、ひどく危険で見事なレースもあった。それは、モンルージュにある戸外スタジアムで、そこでは、大きなモーターサイクルのあとにつづいてレースが行われ、ベルギーの偉大なチャンピオン、リナール——彼の横顔の故に、皆は彼を「スー族」と呼んだ——は、ゴール近くになって、彼の猛烈なスピードを増したとき、のどがかわき、レース用シャツの内側につっていた魔法びんからつながっているゴム管から、チェリー・ブランデーを吸い上げるために、頭を下げたりした。それからまた、オートゥーユ近くのプランス公園の六百六十メートルのセメントのトラックで、六台の大型自動自転車の後から走ったフランス選手権競走があった。それは、数あるトラックの中でも、一番意地悪なトラックで、そのとき私たちは、偉大な乗り手ガネーが倒れ、ちょうど、ピクニックのとき固くゆでた卵を石にぶつけて皮をむくときのように、彼の頭蓋骨が、防護ヘルメットの中でグシャリとつぶれるのを聞いた。私はまた、六日間のレースの生み出した奇妙な世界や、山間のロード・レースの驚異についても書かなくちゃならない。そういうことがちゃんと書かれたのは、フランス語によってだけであり、術語も皆フランス語だ。だから、書くことがむずかしくなってしまうのだ。マイクが、競輪について言ったことは正しかった。賭ける必要はなかったのだ。でも、そういうことは、パリでの後日物語なのだ。

飢えは良い修業だった *Hunger Was Good Discipline*

パリでは、たっぷり食べないと、非常に空腹を感ずるのだった。というのは、どこのパン屋の店でも、ウインドウにとてもおいしいものを並べていたし、人びとが、外の歩道のテーブルに坐っているので、いやでも彼らの食べものが目につき、そのにおいをかぐことになったからである。新聞の仕事を止めてしまい、アメリカのだれもが買わないようなものばかり書いているとき、だれかと昼食を外で食べるという口実を家の者にして、さて出かけるとなると、一番良い場所はリュクサンブール公園だった。そこでは、一方のはしのオプセルヴァトゥワール広場から、他方のはしのヴォージラール通りに至るまで、その間ずっと食べものは何も目に入らず、そのにおいもしなかったからだ。そこでは、いつでも、リュクサンブール美術館に入ることができた。もし、おなかがからっぽで腹ぺコだったら、絵はすべて、鋭くなり、いっそう明らかに、いっそう美しく見えるのだった。私は空腹のとき、セザンヌをいっそうよく理解し、彼の風景画の描き方の真相を見てとることを学んだ。彼が絵を描いていたとき、彼もまた空腹だったかしら、と私はよく考えたものだった。でも、たぶん、彼は食べるのを忘れただけのことだろう、と私は考えた。それは、眠りが足りなかったり腹がへっていたりするときに心に浮ぶ、不健全だが、ひらめきのある考えの一つというものだ。あとで、セザンヌは、たぶん、ちがったふうに空腹だったのだろう、と私は考えた。

リュクサンブール公園を出てから、狭いフェルー通りを歩いて、サン・シュルピス広場へ行くことができた。そこには、まだレストランがなく、ベンチと木立のあるただの静かな広場であった。獅子像のある泉水があり、鳩が舗道の上を歩いたり、司教たちの立像の上にとまったりした。そこには、サン・シュルピスの教会があり、広場の北側には宗教に関する物品や祭衣を売る店があった。

この広場からさらに進んで河の方へ出るためには、果物や野菜やぶどう酒を売る店とか、パン屋や菓子屋のよこを、どうしても通らねばならなかった。けれど、道を慎重にえらべば、右手へ向って、灰色と白い石でできた教会をまわってオデオン通りに達し、右折し、シルヴィア・ビーチの店の方へ向うことができる。その途中は、食べものを売る所はあまり通らない。オデオン通りには、食べる場所がほとんどなく、オデオン広場まで行きつくと、三軒のレストランがあった。

オデオン通り十二番地へ到着するまでには、空腹はおさえられているが、知覚のすべては、再び高揚している。書店にある写真は違うように見え、前に見たこともないような本が目につく。

「あなたは、やせが目立ちますよ、ヘミングウェイ」とシルヴィアはよく言った。「食べものは十分なの？」

「もちろんです」

「お昼には何を召上ったの？」

私は胃がでんぐり返ったような感じがし、こう言うのだった。「今、昼食をたべに、家へ帰るところなんです」

「もう三時なのに？」

「そんなにおそいとは知りませんでした」

「アドリエンヌ〔ビーチの親友のフランス婦人アドリエンヌ・モニエ〕が、この間の晩、あなたとハドリーを晩餐におよびしたいって、言ってたわ。あたしたち、ファルグ〔レオン・ポール・ファルグ。フランスの詩人〕も呼びますわ。あなた、ファルグがお好きでしょうね。それともラルボーにしましょうか。あなたは、彼がお好きでしょう。お好きなことは、わかってるわ。あるいは、あなたが本当に好きな方をだれでも。ハドリーに話してくださる？」

「彼女はきっと喜んで来ますよ」

「彼女に速達（プヌー）を出しておくわ。あなた、ちゃんと食事しないんじゃ、あんまり仕事をしちゃだめよ」

「そうします」

「昼食におそすぎないように、今はすぐお帰りなさい」

「とっておいてくれますよ」

「冷たい食事もしない方がいいわよ。おいしい、熱い昼御飯をおあがりなさい」

「ぼくに郵便が来ていませんか？」

「来ていないと思うわ。でも、ちょっと見てくるわ」

彼女は見に行って、書きつけを見つけ、嬉しそうに顔を上げたかと思うと、それから自分の机についている閉じた戸を開けた。

「これは、あたしが外出中に来たのよ」と彼女は言った。それは一通の手紙で、金が封入されているような手ざわりだった。「ヴェダコップ」とシルヴィアは言った。

「それは「デア・ケルシュニット」〔「横断面」の意。ドイツの雑誌名〕からにちがいありません。あなたは、ヴェダコップにお会いになりましたか？」

「いいえ、でも彼はジョージといっしょにここへ来ました。彼はあなたにもお会いするでしょう。心配しないで。たぶん、彼はまずあなたに支払いをしたいと思ったのでしょう」

「六百フランです。あとでもっとくれると彼は言います」

「あなたが、私にしらべるように仕向けてくださって、とても嬉しいわ。親愛な好人物さん」

「ぼくがちょっとしたものでも売れる唯一の場所がドイツだとは、全くこっけいです。彼と、『フランクフルト新聞』だけだ」

「本当ね、でも、決して心配なんかしないでくださいよ。ストーリーをフォード会社にだって売れますから」と言って、彼女は私をからかった。

「一ページにつき三十フラン。例えば、三カ月ごとに『トランスアトランティック』誌に一つのストーリーをのせたら、五ページの長さのストーリーで一期に百五十フランになる。すると一年に六百フランか」

「でも、ヘミングウェイ、今、作品がどのくらいのお金になるか、ということなんか気にしないでいいのよ。要点は、あなたに、その作品が書けるということよ」

「わかっています。ぼくは作品が書けます。けれど、だれも買わないんです。新聞の仕事を止めてから、金が入ってきません」

「作品は売れるようになりますよ。そら、すぐそこにだって、作品の代金があるじゃないの」

「すみません、シルヴィア。こんなことを話題にしたことを許してください」

「何を許すんですって？　そういうことでも、ほかのどういうことでも、いつだってお話しなさいよ。作家たちが皆話題にすることといったら、自分の困っていることだということを、あなた、ご存知ないの？　でも、あなたは、くよくよせず、食べものも十分食べると、あたしに約束してくださいな」

「約束します」

「じゃ、すぐ家へ帰って、昼御飯をおあがりなさい」

外のオデオン通りへ出ると、私は、物事について不平を言ったことで、自分がいやになった。私のやっていることは、自由意志によるものであり、やり方がばかげているだけなのだ。一食ぬかすよりは、大きなパンのひと切れを買って、食べればよかったのだ。茶色のきれいなパンの皮だって味わえるんだ。でも、何か飲みものがないと、口の中でバサバサする。きさま、いまいましい不平家め。下劣なインチキの聖人、殉教者よ、と私は心の中で思った。きさまは、みずから進んで、新聞記者を止めたんじゃないか。きみは信用があるし、シルヴィアはきみにいくらでも金を貸してくれたかもしれない。実際、何度も貸してくれたじゃないか。そうだとも。それから、またぞろ、きさまは何か別のことで妥協をはかるんだろう。飢えというのは健康的だし、空腹のときの方が絵はたしかに良く見える。ところで、食べることもすてきだが、さて、今からどこへ行って食べたらいいか知っているのか？

そうだ、リップへ行って、食べたり飲んだりしよう。

リップの店へは歩いても近かった。私の胃が、私の目や鼻と同じくらいすばやく、いろんな場所に気がつくわけだが、そこを通過するたびに歩くことがますます楽しいものになった。そのビールの飲める店には、あまり客がいなかった。鏡のついた壁を背に、テーブルを前にして、ベンチに坐ると、ウェイターがビールですかと聞いた。私は、ディスタンゲ——一リットル入りの大きな取手付きグラスと、ポテト・サラダ（ポム・ア・リュイル）を注文した。ビールはたいへん冷たく、おいしく飲めた。油いための馬鈴薯は、形がくずれず、汁で味がつけられ、オリーヴ油もとてもうまかった。私は、黒いコショウを、馬鈴薯の上にふりかけ、パンをオリーヴ油にひたしてしめらせた。最初に大きくグッとビールをひと飲みしてから、私は極めてゆっくり飲んだり食べたりした。油いための馬鈴薯がなくなってしまうと、もうひと皿と、セルヴラを注文した。これは、一種のソーセージで、どっしりした幅広いフランクフルト・ソーセージを二つに裂いて、特別なカラシのソースをかけたようなものだ。

私は、油やソースを全部パンでふきとり、ビールをゆっくり飲んでいるうちに、とうとうビールがぬるくなり始めたので、私はそれを飲み干し、今度はドミ〔半リットルのビールのコップ〕を注文し、それにビールが注ぎ込まれるのを見つめていた。それはディスタンゲより冷たそうに思われ、私はその半分を飲んだ。

自分は、くよくよしてなどいなかった、と私は考えた。私のストーリーは良かったし、しまいには、アメリカでだれかがそれを出版するだろう、ということはわかっていた。新聞の仕事を止めたとき、ストーリーはきっと出版されると確信をもっていた。送り出したストーリーは、どれも皆、もどってきたのに、私にこういう自信をもたせたのは、エドワード・オブライエンが、「私の親父」というストーリーを「ベスト・ショート・ストーリーズ」という本の中へ採ってくれ、しかも、その年刊本を私に献呈してくれたことからだった。やがて、私は笑って、さらにいくらかビールを飲んだ。そのストーリーはそれ以前に、雑誌に出たわけではなかったが、彼は、前に出版されたものという彼の原則を破って、それをアンソロジーに入れてくれたのだ。私はまた笑った。給仕が私をちらと見た。おかしなことだった。というのは、そういういきさつがあったあとなのに、彼は名前のつづりをまちがえたりしたからだ。私の書いたものが全部ハドリーのスーツケースに入ったまま盗まれたとき、私が手もとに残していた二つのストーリーの一つがこれであった。あのときハドリーは、私たちが山で休暇を過している間に、私が原稿に手を入れられるようにと、私のいたローザンヌへ原稿をもってきてびっくりさせようとして、リヨン駅でああいう目に会ったのだ。彼女は、もとの原稿も、タイプ原稿も、それにカーボン・コピーまで、全部マニラ紙ばさみに入れていたのだ。この一つのストーリーを私がもっていたただ一つの理由は、リンカーン・ステファンズが、それをある編集者に送ってあったのが、送り返されてきたからだ。他の全部が盗まれたのに、それは郵便物の中に入ってきたのである。私のもっていたもう一つのストーリーは、ミス・スタインが私たちのアパートへ来る前に書かれた「ミシガン湖畔にて」であった。私はそのコピーは作らせなかった。スタインがそれを〈掛けられない（アンアクロシャーブル）〉といったからである。それは、どこかひき出しの中に入れてあった。

そこで、私たちがローザンヌを立って、イタリアへ行ってから、私は競馬のストーリーを、オブライエンに見せた。彼は、やさしい、内気な男で、顔が青白く、目はうす青で、まっすぐな長髪をし、それを自分で刈っていた。彼は当時、ラパルロ〔イタリア北西部の海港〕の上の方の僧院に寄宿していた。そのころはスランプの時期で、私はもうこれ以上ものを書けないと思っていた。で、私はそのストーリーを、一つのこっとう品として彼に見せたのである。ちょうど、何か信じ難いやり方で失くしてしまった船の羅針箱を人に見せるように、あるいは、長靴をはいた自分の足が、衝突のあと切断されたとき、それを拾い上げてみて、それについての冗談を言うような具合に。それから、彼がそのストーリーを読んだとき、彼が私自身よりずっと多く心を傷つけられたのを、私は見てとった。

ハドリーを除いては、人が、死とか、堪えがたい苦しみ以外のもので心を傷つけられるのを、私は見たことがなかった。ハドリーの場合というのは、彼女がなくしものをしたと私に告げたときのことで、私は、どんなおそろしいことが起ったにせよ、そんなにひどいことはあるまい、それがどんなことであっても、かまわないから、くよくよするな、何とかなるから、と彼女に言った。それから、とうとう、彼女は私に打明けたのだった。私は、彼女が、カーボン・コピーまではまさかもって来はすまいと確信していたので、私のために新聞の仕事を肩代りしてくれる人をやとった。当時私はジャーナリズムで相当の金を手に入れていたのだ。そして、パリ行きの汽車に乗った。やっぱり話の通りだった。その晩、アパートへ入って、それが本当だとわかったとき、自分がどういうことをしたか、私は覚えている。でも、それはもうすんだことだ。そして、チンクは、決して災難のことを議論したりするなと、私に教えてくれていた。で、私は、オブライエンに、そう気に病まなくていいと言った。私が初期の作品をなくしたことは、事によるとよいことかもしれなかった。そして、私は彼に、軍隊の士気を鼓舞するときのような言葉を吐いた。もう一度ストーリーを書き始めます、と私は彼に言った。そして、そう言いながら、実は、彼があまり気に病まぬように、心にもないことを言おうとしただけなのだが、それがまさに本当だということを、私は知ったのであった。

それから、リップの店で、私は考え始めた。私がすべてを失くしたあと、初めてストーリーが書けるようになったのは、いつだったかということ。それはコルティナ・ダンペッツォ〔北イタリア山中の町〕でのことで、私はそこにいたハドリーといっしょになるためにもどってきたときだった。私はその前、春のスキーに出かけていたのだが、任務を割当てられて、ラインランドとルール地方へ出かけることになり、スキーを中断して来たのであった。それは、とても単純なストーリーで、「季節はずれ」という題であった。そのストーリーの本当の結末、つまり、老人が首を吊って死んだことは、省いてあった。これは、私の新しい理論によって省かれたもので、その理論というのは、もしきみが省いたことを自覚しており、その省かれた部分がストーリーの力を強め、人びとに彼らが理解する以上のものを感じさせる場合には、何でも省いていい、というのである。

ところで、と私は考えた。今、私はストーリーを省略した形で書いたから、皆はそれを理解しないだろう。それについてはあまり疑問の余地はない。それらのストーリーに対する需要のないことも、非常に確実だ。でも、人がいつも絵画の場合にすると同じふうに、いつか理解するだろう。ただ時間がかかるだけであり、また自信をもちさえすればいいことなのだ。

食物を節しなければならぬとき、あまり空腹のことばかり考えないようにするためには、自分をより巧みに扱うことが必要であった。飢えはよい修業だし、それから学ぶところもあるのだ。そして、皆が飢えの何たるかを理解しないでいる限り、きみは皆より一歩を先んじているのだ。ああ、全くだ、と私は考えた。自分は、規則正しい食事もできない今、皆よりずいぶん先んじているわけだ。皆が少しくらい追いついてくれるのも悪くないんだがな。

私は、自分が小説を書かなくちゃならないことはわかっていた。しかし、小説の素材を煮つめたものであるいくつかの節（パラグラフ）を書くのに、ふうふういっているのでは、それはとても不可能な仕事に思われた。ちょうど長い競走の練習をするように、さらに長いストーリーを書くことが必要であった。以前に一つの小説――それはリヨン駅で盗まれた鞄に入ったままなくなったものだが――を書いたとき、私は、青春と同じように消えやすい、あてにならぬ、少年の日の抒情性をまだもっていた。それが失われたことは、たぶん良いことだとはわかっていたが、また、小説を書かねばならぬということもわかっていた。けれど、そうしなければいられなくなるまで、書くのをのばそう。私たちが規則正しく食事しようとするなら、私は小説を書かねばならない――そんな理由で、小説を書くなんてまっぴらだ。私が書かねばならぬときは、それしかできなくて、他に選択の余地のないときなのだ。いくらでも圧力をかけるがいい。当分は、自分が一番よく知っていることについて、長いストーリーを書いてみよう。

このときまでに、私は、もう、勘定を払って、外へ出て、右手へ曲り、レンヌ通りを横切ってしまっていた。ドゥー・マゴ〔リップの向い側のカフェ〕へコーヒーを飲みに立寄ることをしないようにしたのだ。私は家への最短距離をとって、ボナパルト通りを上って行った。自分が今までに書かなかったし、失くしもしなかったことで、一番良く知っていることは何だろう？　本当に知っていて、最も関心のあることは何だろう？　選択の余地は何もなかった。ただ、自分の仕事場へ一番早くつれもどしてくれる街路をえらぶことだけが残されていた。私はボナパルトを上ってギヌメールへ出、それからアサ通りへ行き、ノートルダム・デ・シャン通りを上ってクロズリ・デ・リラへ着いた。

私は午後の日ざしを肩越しに受けながら、そのカフェの片隅に坐って、ノートブックに書いた。ウェイターはミルク入りコーヒーをもってきた。それが冷めると、私はその半分を飲み、書いている間、それをテーブルの上に残しておいた。書くのを止めたとき、私はセーヌ河のそばを立去りたくない気持だった。河のよどみに、マスが見られたし、水面は丸太を打込んだ橋脚の抵抗にあって、押したり、なめらかにふくらんだりしていた。ストーリーは戦争からの帰還についてであったが、その中では、戦争のことには何もふれていなかった。

ともあれ、明け方には、河は相変らずそこにあるだろう。私は、河や、国や、これからのすべての出来事を描かねばならない。そういうことを毎日やる日々が目の前につながっているのだ。他のことはすべてどうでもよかった。私のポケットには、ドイツから送られてきた金があった。だから心配はない。その金がなくなれば、また他の金が入ってくるだろう。

今、私がしなくてはならぬことは、朝まで頭を健全な良い状態におくこと。朝が来たら、また書き始めるのだ。

フォード・マドックス・フォードと悪魔の弟子
Ford Madox Ford and the Devil's Disciple

私たちが、製材所の上の方にある、ノートルダム・デ・シャン街一一三番地のアパートに住んでいたとき、クロズリ・デ・リラは、一番近くにある良いカフェであり、また、パリ中でも最上のカフェの一つであった。冬は室内があたたかで、春と秋は、ネイ将軍の像のある方の側では木蔭にテーブルを並べ、ブールヴァール沿いには大きな日除けの下に、四角い、揃いのテーブルをおき、外にいると快適だった。ウェイターのうちの二人は、私たちの親友だった。ドームやロトンドなどのカフェから出てくる人びとは、決してリラへはやってこなかった。そこには、彼らの知人は一人もいなかったし、彼らが来ても、だれ一人、彼らの方を見ようとはしなかっただろう。当時は、多くの人が、ブールヴァール・モンパルナスやブールヴァール・ラスパイユの角のカフェへ、皆に顔を見られに行くのだった。不朽の名声につながる日々の代用品として、そういう場所は、後の時代に社交界のゴシップ欄を受持った記者たちの先駆者の役をしているふうであった。

クロズリ・デ・リラは、昔は、詩人たちがかなり定期的に集っていたカフェで、最後の有力な詩人は、ポール・フォールであった。私は彼の作品を読んだことはなかった。でも、私がそこで見たただ一人の詩人は、ブレーズ・サンドラルスで、彼は皮膚のいたんだボクサーのような顔をし、空っぽの袖口を上へ折返してピンでとめ、片方しか残っていないまともな手で、シガレットを巻くのだった。彼は、飲みすぎるまでは、同席していて楽しい男だった。そしてそのころは、彼が嘘を並べているときは、多くの男たちが本当の話をしているのより面白かった。でも、当時リラへ来た詩人は彼ただ一人で、私はそこで一度彼を見ただけである。客の大部分は、初老の、ほほひげのある男たちで、かなりくたびれた服を着、細君とか情人とかをつれてやって来た。そして、細長い赤のレジヨン・ド・ヌール勲章のリボンをえりの折返しにつけていたり、あるいは、つけていなかったりした。私たちは、彼らを科学者だとか、学者(サヴアン)だとかいうふうに希望的推測をしたが、彼らは一杯の食前酒(アペリチフ)をちびちびやりながら、もっと見すぼらしい服装の男たちが細君とか情人を連れ、一杯のミルク入りコーヒーでねばっているのと、ほとんど同じくらい長い間、坐っているのだった。みすぼらしい方の男どもは、フランス・アカデミーとは何の関係もないアカデミーのしゅろの形の紫のリボンをつけていたが、それで、彼らは、教授とか教師とかであることを示すつもりなんだな、と私たちは考えた。

こういう人びとは、そこを快適なカフェにした。というのは、皆、お互いに対し、彼らの飲みものやコーヒーや、あるいは薬草入りの茶に対し、また、綴じ棒にくくりつけられていた新聞や雑誌に対し、関心をもっていたからである。そして、だれ一人、人前で顔を売ってはいなかった。

この界隈に住んでいて、リラへやって来る他の人びともいた。そのある者は、武功十字章のリボンをえりの折返しにつけていたし、ある者はまた、黄色と緑の陸軍メダルをつけていた。彼らが失った手足のハンディキャップをどういうふうにしてうまく克服しているかを、私は見守ったし、また、彼らの義眼のでき具合とか、彼らの顔が、どの程度うまく修復されたかを見た。かなり修復された顔には、まるで玉虫色のテラテラした色合いがつきまとっているものだが、それは、雪の固く積んだスキー用スロープの光り具合にむしろ似ていた。私たちは、学者や教授連よりは、これらのお客さんたちを尊敬した。学者や教授たちだってやはり軍隊勤務をしたが、不具にはならなかったのだ、という場合もあり得るが。

当時、私たちは、戦争に行かなかった人を信頼しなかったが、とにかく、だれに対しても完全な信頼感をもってはいなかった。そして、サンドラルスだって、失くした腕のことを、もうちょっと控え目にしていた方がいいんじゃないか、という強い気持を、私たちはもっていた。彼が、午後早く、定連の客がくる前に、リラに来ていたので、私は嬉しかった。

この夕方、私はリラの外側のテーブルに坐って、木立や建物の上の光の変化や、外の方のブールヴァールをゆっくり通るりっぱな馬に視線を投げていた。カフェのドアが私のうしろの右手で開き、一人の男が出てきて、私のテーブルへ歩み寄った。

「ああ、ここにいたのか」と彼は言った。

それは、フォード・マドックス・フォードだった。当時彼は自分をそう呼んでいた。彼はタバコのしみのついた濃い口ひげを通して、重苦しい息づかいをし、直立させた大だるにちゃんと服をきせて歩かせたように、姿勢をまっすぐにしていた。

「いっしょに坐ってかまわないかね?」と彼は聞いて、坐った。生気のない目蓋と眉毛の下で、色のさめた青色をしていた彼の目は、外のブールヴァールの方を眺めた。

「ぼくは、ああいうけだものどもが人道的に殺されるようにするために、一生の多くの年月を過してきたんだよ」と彼は言った。

「その話は前に伺った」と私は言った。

「そんなはずはないが」

「たしかだよ」

「実に変だ。これまでだれにも言ったことがないのに」

「何か飲まないか？」

ウェイターはそこに立っていた。フォードはシャンベリ・カシスを一杯飲むと言った。ウェイターは、背が高く、やせていて、頭のてっぺんがはげ、髪をテカテカになでつけていた。そして、濃い古風な竜騎兵式の口ひげをたらしていたが、彼は注文を復唱した。

「いや、水割りフィーヌ〔コニャックの一種〕にしてくれ」とフォードが言った。

「旦那さまに、水割りフィーヌ」と、ウェイターは注文を確認した。

私はいつも、できるだけフォードの顔を見るのを避けてきた。そして、閉ざされた部屋で彼のそばにいるときは、いつも息を殺すようにしていた。けれど、ここは戸外で、落葉が、歩道にそって、テーブルの私の側から彼の側へ吹きとんだ。それで、私は彼をまともに見、後悔し、ブールヴァールの向う側に目をやった。光線が再び変ったが、私はその変化に気づかなかった。私はひと飲みして、彼が来たために飲みものがまずくなったかどうか見たが、それは相変らず旨かった。

「きみはずいぶん、むっつりしてるね」と彼は言った。

「いや」

「たしかにそうだよ。きみはもっと出歩く必要がある。ここへ立寄ったのは、ぼくたちが催そうとしているちょっとした夜会に、きみを誘おうと思ったからだ。場所は、カルディナル・ルモワンヌ街のコントルスカルプ広場近くの、あの愉快なバル・ミュゼットだ」

「きみがこの前パリへやって来たそのまた前に、ぼくは二年間、その店の上の方に住んでいたんだ」

「なんと奇妙な。それは本当かね？」

「うん、本当だとも」と私は言った。「その店の持主がタクシーを所有していたんで、ぼくが飛行機に乗る必要のあるときは、よく空港までつれていってくれたよ。ぼくたちはバルの亜鉛びきのカウンターへ寄って、空港へ出かける前、暗やみの中で白ぶどう酒を一杯のんだものだ」

「ぼくは昔から飛ぶのは好かないね」とフォードが言った。「きみは、奥さんと、土曜の晩に、バル・ミュゼットへくる予定にしておいてくれ。とてもにぎやかだよ。そこが見つかるように、地図を書いてやろう。全くひょんなことで、そこを見つけたんだ」

「それは、カルディナル・ルモワンヌ街七十四番地の地下だ」と私は言った。「ぼくは三階に住んでいたんだ」

「番号なんかないよ」とフォードが言った。「でも、コントルスカルプ広場さえ見つかれば、その店はわかるよ」

私は、もう一杯ぐっと引っかけた。ウェイターは、フォードの飲みものを持って来た。

フォードは彼にまちがいを指摘していた。「ブランデー・ソーダを注文したんじゃないよ」と彼は、助け舟を出すように、しかし、きびしい口調で言った。「ぼくは、シャンベリ・ベルモットにカシスを注文したんだ」

「ジャン、かまわんよ」と私は言った。「ぼくがこのフィーヌをもらおう。この旦那が今注文したものをもって来てくれ」

「さっき注文したものだよ」とフォードが訂正した。

その瞬間、ケープを着た、ちょっとやつれた男が歩道を通った。彼は背の高い女といっしょであったが、私たちのテーブルをちらりと見て、それから目をそらし、ブールヴァールを向うの方へ歩いて行った。

「ぼくが彼を無視したのを、きみは見たかね？」とフォードが聞いた。「ぼくが彼を無視したのを、きみは実際に見たかね？」

「いや。だれを無視したのか？」

「ベロック〔ヒレア・ベロック。フランス生れのイギリス作家〕だ」と彼は言った。「ぼくは、まさに彼を無視したね」

「ぼくは見ていなかった」と私は言った。「なぜ、彼を無視したのかね？」

「理由は大ありさ」とフォード。「だが、ぼくは、たしかに彼を無視したね！」

彼は十二分に楽しげであった。私はベロックを前に見たことがなかったし、彼が私たちを見たとも信じられなかった。彼はまるで何か考えごとをしていて、ほとんど機械的に私たちのテーブルに視線を走らせた人のようだった。私は、フォードが彼に対して失礼なふるまいをしたことを気に病んだ。というのは、私は、修業を始めたばかりの青年として、先輩作家であるベロックに深い敬意をもっていたからである。こういうことは、現在は理解しにくいことであるが、当時はよくある出来事であった。

もし、ベロックがテーブルへ立止ってくれたら楽しかったろうし、私も彼に紹介されたかもしれない、と考えた。その午後は、フォードに会ったおかげで台なしになったが、ベロックは、そのつぐないになったかもしれないと思った。

「きみは、何のためにブランデーを飲むんかね？」とフォードが聞いた。「若い作家がブランデーを飲み始めるなんて、致命的だということを、きみは知らないかね？」

「そうたびたび飲むわけじゃない」と私は言った。私は、エズラ・パウンドがフォードについて私に語ったことを思い出そうと努めていた。それは、私が決して彼に対して失礼な態度をとってはならないこと、彼は疲れ切っているときに嘘をつくだけだということを忘れてはならぬこと、彼は本当に良い作家であること、また、彼が非常に深刻な家庭のトラブルを経験してきていること、などであった。私は、これらのことを考えようとして、たいへん努力したが、体がふれ合うくらい近くにいるフォードの、重苦しい、ゼイゼイ息をする、下品な様子が鼻について、それがむずかしくなった。でも、私は努力した。

「どうして、人は知らぬ顔をしたりするのか、話してくれ」と私はたのんだ。そのときまで、私は、そういうことが、ウィーダ〔本名はマリー・ルイーズ・デ・ラ・ラメー。十九世紀イギリスの女流小説家〕の小説にしか出てこないことだと思っていた。私はウィーダの小説は決して読むことができなかった。スイスのスキー場で、しめった南風が吹いて来たとき、読物がなくなってしまい、ただ置き忘れられてあった戦前のタウフニッツ版の本しかなかったときでさえ、そうだった。けれど、彼女の小説の中では人はお互いに知らぬ顔をするということを、私は第六感のようなもので確信していた。

「紳士というものは」とフォードは説明した。「いつでも、げすな奴を無視するのだ」

私はブランデーをいそいでひと飲みした。

「紳士はゴロツキを無視するかね？」と私はたずねた。

「紳士がゴロツキと知り合いになるのは、不可能だよ」

「じゃ、平等の立場で知り合っている相手だけを無視できるということだね？」と私は追いかけて聞いた。

「当然そうだ」

「人はどういうふうにして、げすな人間なんかに会うのかね？」

「きみには、それはわからないだろう。わかれば、そいつは、げすな人間になっているのさ」

「げすな人間ってどういうのかね？」と私は聞いた。「たたいて、半殺しにしてやらなくちゃならないような人間かね？」

「必ずしもそうじゃない」とフォードは言った。

「エズラは紳士かい？」と私は聞いた。

「もちろん、ちがうよ」とフォード。「彼はアメリカ人だ」

「アメリカ人は紳士になれないのか？」

「たぶん、ジョン・クィン〔アメリカ作家たちの友人〕は紳士だろう」とフォードは説明した。「それに、きみたちの大使のうちのいく人か」

「マイロン・T・ヘリック〔アメリカ作家たちのパトロン〕はどうだ？」

「たぶん、いいだろう」

「ヘンリー・ジェイムズは紳士だったかね？」

「もう少しでというところだね」

「きみは紳士かね？」

「当然そうだ。ぼくはイギリス軍の士官だったことがあるんだから」

「だいぶ話がこみ入っているね」と私は言った。「ぼくは紳士かね？」

「絶対にそうじゃない」とフォード。

「じゃ、なぜ、きみはぼくと飲んでいるのか？」

「ぼくは、有望な若い作家としてのきみと飲んでいるのだ。事実、仲間の作家として ね」

「ご親切さまだ」と私は言った。

「きみは、イタリアだったら、紳士として通るかもしれない」と、フォードは寛大な調子で言った。

「でも、ぼくはげすな人間じゃないのか？」

「もちろん、そうじゃないさ、きみ。いったい、だれがそんなことを言った？」

「そういう人間になるかもしれないな」と私は悲しそうに言った。「ブランデーなんかを飲んでね。トロロップの作品に出てくるハリー・ホットスパー卿を破滅させたのは、これだからな。ねえ、トロロップは紳士だったかね？」

「もちろんそうじゃないよ」

「きみは確信がもてるかね？」

「別の意見もあろうがね。でもぼくの意見は、そうだ」

「フィールディングはどうだ？　彼は裁判官だったね」

「理論上は、たぶんいいことになる」

「マーローは？」

「もちろんだめだ」

「ジョン・ダンは？」

「彼は牧師だった」

「とてもおもしろいね」と私は言った。

「きみが興味をもってくれて嬉しいよ」とフォードが言った。「ぼくは行く前に、きみと、水割りブランデーをつき合うよ」

フォードが立去ったあと、もう暗くなっていた。私は、向うの売店（キオスク）の方へ歩いて行って「パリ・スポール・コンプレ」〔「パリ・スポーツ総覧」の意〕を一部買った。午後出るその競馬新聞の最終版には、オートゥーユでの結果と、アンギャンでの翌日の催しについての案内が入っていた。ジャンと交代したウェイターのエミールは、オートゥーユでの最後のレースの結果を見に、テーブルへやってきた。めったにリラへ姿を現わさない私の一人の親友が、テーブルのところまでやってきて、腰をおろした。ちょうど、私の友人がエミールに飲みものを注文していたとき、ケープに身を包んだ、例のやつれた男が、背の高い女をつれて、歩道を通って私たちのいる前を歩いて行った。彼の視線は、たまたまテーブルの方へ流れてきたが、やがて他の方へそれた。

「あれは、ヒレア・ベロックだ」と私は友人に言った。「フォードは今日の午後ここにいたんだが、彼を全く無視した態度をとったよ」

「おい、ばかなまねはよせ。あれは、悪魔主義者のアリースター・クロウリーだよ。この世であんな悪い奴はいないと思われているほどの男だ」

「そりゃまずい」と私は言った。

新しい流派の誕生　*Birth of a New School*

緑色の背のノートブック、二本の鉛筆と鉛筆削り（ポケット・ナイフを使うと削りすぎる）、大理石を張ったテーブル、掃き出したり拭いたりする早朝のにおい、それに幸運さえあれば、それでたくさんだった。幸運のまじないとして、右のポケットに、トチノキの実と、うさぎの足を入れて歩いた。そのうさぎの足の毛皮が、ずっと前にすり切れて、骨と筋肉が、こすれて、つやが出ていた。爪はポケットのうらにひっかかり、幸運がまだそこにあるとわかるのであった。

いく日かは、非常にうまく進み、目的地に達し、木立を越して、そこへ入りこみ、開拓地へ出て来て、さらに高い土地へとたどりつき、湖の入江の彼方に重なる丘陵を望むことができる。鉛筆削りの円錐形の穴の中で、鉛筆の芯が折れることがある。すると、ペン・ナイフの小さな刃を使って、それをほじくり出したり、あるいは鋭い刃で注意深く鉛筆を削ったりし、それから自分のリュックサックの、汗で塩のふいた革ひもの間へ片腕を通して、それをもち上げ、他の腕も通し、目方が背中におちつくのを感じ、平底の革靴の下に松葉を踏みしめながら、湖の方へと下り始めるのだ。

すると、だれかが呼ぶ声が耳に入ってくる。

「やあ、ヘム。何をしようってんだい？　カフェでものを書くのか？」

それで幸福はおしまいになり、ノートブックを閉じる。これが最悪の出来事なのだ。何とか気をしずめることができたら、いい方だが、私はそういうとき自分の気をしずめるのは苦手で、こう言ってしまう。「このろくでなし。きみの汚らしい縄張りからノコノコ出て来て、ここで何をしてるんだい？」

「お前さんがいくら変り者らしくふるまおうたって、人をばかにするようなことを言ってもらいたくないね」

「きみの汚い、下卑た口をもって、とっとと出てうせろ」

「ここは公衆のためのカフェだ。ぼくだってお前さんと同じくここへ来る権利があるんだぜ」

「きみのゆきつけのプティット・ショーミエールへなぜ行かないんだい？」

「まあまあ、そううるさいことを言うな」

さて、それが偶然の出会いであり、その男は全くふらりと入って来ただけであって、これからずっとここを荒すわけではないだろうと思って、ひとまず引上げることだってできた。他にも、仕事するのに良いカフェはいくつかあった。けれど、それらへは相当長い道のりがあり、このカフェが自分のホーム・カフェになっていたわけである。クロズリ・デ・リラから追い出されるなんて、とんでもないことだった。私は、頑張るか、動くか、しなければならなかった。動く方がたぶん賢明だったかもしれないが、怒りの念が起って来て、私はこう言った。「おい、聞け。きみみたいな奴は、いくらでも行くところがあるよ。どうしてここへ来て、まともなカフェを台なしにしなくちゃならないんだい?」

「ぼくは一杯飲みに入ってきただけのことだ。それのどこが悪い?」

「うちだったら、きみに一杯ついでやるにしても、あとで、グラスを割っちまうだろうよ」

「うちってどこだい? なかなか魅力のある場所にきこえるじゃないか」

彼は、となりのテーブルに坐っていた。背の高い、ふとった青年で、眼鏡をかけていた。彼はビールを注文していた。私は、彼のことを気にせず、書けるかどうか見ようと思った。それで、私は彼のことを気にせずに、文章を二つ書いた。

「ぼくはただ、お前さんに話しかけただけだよ」

私は、書きつづけ、もう一つの文章を書いた。仕事に油がのって、それに没入しているときは、止めにくいものだ。

「お前さん、ひどく偉くなって、だれも話しかけられないらしいな」

私はもう一つの文章を書いて、節を終り、それを読み返した。まだ大丈夫だった。それで、私は次の節の最初の文章を書いた。

「お前さんは、ひとのことを決して考えないんだね。ひとだって問題をもっているかもしれない、と考えることもないんだね」

私は、一生の間ずっと、苦情を聞いてきた。今も、書きつづけるのに差支えないことがわかったし、他の騒音よりひどいということもなかった。エズラがバスーンの吹き方を習っているときの音より、たしかに、ましだった。

「もし、お前さんが作家になりたいと思い、体中、書きたい気持で一杯のときに、どうもいい考えが出て来ないとしたら」

私は書きつづけた。今や、幸運にも他のことにも、恵まれてきたようだ。

「もし、抵抗できない奔流のように、一度霊感が湧いてきて、それから、それがきみを物言わず、だまったままの状態にしたとしたら」

物言わず、さわがしい、というのよりはましだ、と私は考え、書きつづけた。彼は今やここを先途と吠え立て、そのお話にならぬくらいひどい文句は、まるで製材所で板がひき裂かれるときの騒音のように、かえって心を静めるに役立った。

「ぼくたちはギリシアへ行った」と彼が言うのを、私はあとで聞いた。しばらくの間、彼の言うことを、騒音としてしか耳に入れていなかったのだ。仕事は進んだから、ここらで止めて、明日つづければいい。

「きみは今、油(グリース)をぬってやったとか、あそこへ行ったとか、何とか言ったようだったね？」

「下品なことを言うな」と彼は言った。「お前さんは、ぼくに話のつづきをしてもらいたくないのか？」

「そうだ」と私は言い、ノートブックを閉じて、ポケットに入れた。

「それがどういう結末になったか、知りたいと思わないのか？」

「思わない」

「お前さんは、人生や同胞の苦しみを、何とも思わないのかね？」

「きみのことなら、何とも思わぬ」

「お前さんは、けだものだ」

「そうだ」

「お前さんは、ぼくを助けてくれると思ったんだ、ヘム」

「ぼくは、喜んできみを射殺するよ」

「そうするか？」

「いや、法律で禁じているからね」

「ぼくは、お前さんのためなら何でもする」

「するかね？」

「もちろん、するよ」

「じゃこのカフェから、さっさと出て行ってくれ。それが手始めだ」

私は立上った。ウェイターが来たので、私は勘定をした。

「お前さんといっしょに、製材所まで行ってもいいかね、ヘム？」

「いかん」

「じゃ、またいつか会おう」

「ここじゃだめだ」

「それでけっこう」彼は言った。「ぼく、約束したよ」

「きみは何を書いているんだい？」私は、うっかりヘマをして、聞いてしまった。

「ぼくの書ける一番良いものを書いている。お前さんと同じだ。だが、おそろしくむずかしくてね」

「きみは、書けないんなら、書いちゃいけないよ。何をつべこべ文句を言うことがあるのか？　うちへ帰れ。仕事を見つけろ。死んじまえ。ただ、そのことをしゃべることだけはするなよ。きみは絶対に書けやしないんだ」

「なぜ、そう言うのかね？」

「きみは、自分のしゃべる声を聞いたことがあるかね？」

「ぼくの話しているのは、書くことだよ」

「じゃ、だまれ」

「お前さん、全く残酷な人だ」と彼は言った。「お前さんが、残酷で、無情で、うぬぼれているってことを、いつも皆が言っていた。ぼくはいつも、お前さんを弁護してやっていたんだが、これでもうおしまいだ」

「けっこうだ」

「お前さんは、どうしてそう仲間の人間に対して残酷にできるのかね？」

「わからん」と私は言った。「ねえ、もしきみが書けないとすれば、批評を書くことを学んだらどうだろう？」

「そうすべきだと思うかね？」

「そうすればいいね」と私は彼に話した。「そうなると、きみはいつでも書けることになる。いい考えが浮ばないとか、物言わず、だまっている、なんてことを気に病む必要がいっさいなくなる。人びとはそれを読み、尊敬する」

「ぼくが良い批評家になれると思うかい？」

「どのくらい良いかはわからない。でも、きみは批評家になれる。いつでも、きみを助けてくれる人びとがいるだろうし、きみは、きみに属している人びとを助けたらいい」

「ぼくに属している人びとって、どういう意味かね？」

「きみがいっしょに歩き廻る人たちさ」

「ああ、彼らのことか。彼らはそれぞれ批評家をもってるよ」

「きみは、本を批評する必要はないのさ」と私は言った。「絵画とか、劇とか、バレーとか、映画とか――」

「きみの話を聞いていると、とてもおもしろそうだ、ヘム。どうもありがとう。とても心が動くし、それに創造的な仕事だ」

「創造というのは、たぶん大げさだけれどね。けっきょく、神さまはこの世界をたった六日で造って、七日目に休んだんだものな」

「もちろん、ぼくが創作もしようとしたって、じゃまするものはないよ」

「何一つないさ。ただ、きみが自分の批評によって、自分自身に、不可能なくらい高い標準を課することがあれば困るが」

「標準は高くなるさ。そりゃ保証できる」

「そうだと確信するよ」

彼はすでに批評家だった。だから私は、彼に一杯飲まないかと言ったら、彼はその誘いを受けた。

「ヘム」と彼は言った。それで私は、彼がもう批評家であることがわかった。会話では相手の名前を文尾よりは、むしろ文頭におくからだ。「お前さんの作品は、ぼくには、ほんのちょっぴり硬すぎるように思われることを、お前さんに言わなくちゃならない」

「そりゃ残念だ」と私。

「ヘム、あまりにも赤裸で、あまりにもやせているんだ」

「運がわるかったな」

「ヘム、あまりにも硬く、あまりにも赤裸で、あまりにもやせ、あまりにも筋っぽいのだ」

私は、ポケットの中のうさぎの足に、うしろめたい思いをしながら、さわった。「すこしふとらせるようにしよう」

「でも気をつけてもらいたいな。でぶでぶに肥えてもらいたくないからね」

「ハル」と私は、批評家のように、しゃべり方を練りながら言った。「できる限り、それは避けよう」

「意見一致で嬉しいね」と彼は男らしく言った。

「ぼくが仕事をしているときは、ここへ来ないってこと、忘れないでくれるね?」

「当然だ、ヘム。もちろんだよ。これから自分用のカフェをもつよ」

「お前さん、とても親切だね」

「そうであるように努めるよ」と彼。

もし、その青年が、あとで有名な批評家にでもなれば、おもしろく、また教訓的だったろうが、そういうふうにはならなかった。しばらくの間、私は非常な期待を寄せていたのだが。

彼が、その翌日またやってくるとは思わなかったけれど、私は空頼みをするのがいやで、クロズリには一日の休暇を与えることにきめた。それで、翌朝は早く目を覚まし、ゴムの乳首とびんを煮沸し、処方通りの牛乳を作り、びんに詰め終り、バンビーくんにびんを与え、彼と、猫のF・プスと私自身がまだはっきり目を覚まさないうちに、食堂のテーブルの上で仕事を始めた。他の二人の連中は、静かで、良い仲間だったので、今までになく仕事がよく出来た。あのころは、本当に、何もいらなかったのだ。うさぎの足もいらなかったのだが、ポケットの中でそれを手さぐりするのは、いい気持だった。

ドームでパスキンと共に　*With Pascin at the Dôme*

美しい夕ぐれだった。私は一日中、精を出して仕事をし、製材所の上の方にあるアパートを出て、材木を積んである中庭を通って、外へ出た。表のドアを閉め、通りを横切り、ブールヴァール・モンパルナスに面しているパン屋のうらの戸から入り、かまどや店に漂うこうばしいパンのにおいをかぎながら、外の通りへと出た。パン屋の店の中にはともしびがつき、外は、一日のくれ方であった。私は寄せ始めた夕もやの中を歩いて、通りを上って行き、ネーグル・ド・トゥールーズ・レストランのテラスの外側で立止った。そのレストランには、私たちの赤白の格子縞のナプキンが、ナプキン棚におかれた木製のナプキン・リングに収められて、私たちが晩餐を食べに来るのを待っていた。私は、紫色のインクの謄写刷のメニュを読み、本日の料理（プラ・デュ・ジュール）が、カスレットであることを知った。その名前を見ただけで、空腹を感じた。

店のあるじラヴィーニュ氏が、私の仕事の進み具合を聞いたので、私はとてもうまく行っている、と答えた。彼は、私が朝早くクロズリ・デ・リラのテラスで仕事をしているのを見かけたが、私がとても熱中していたので言葉をかけなかった、と言った。

「あなたは、ジャングルにただ一人いる男のようなふうでしたよ」と彼は言った。

「ぼくは、仕事をするときは、目の見えない豚みたいなもんだ」

「でも、旦那、あなたはジャングルにおられたんじゃありませんか？」

「藪にいたんだよ」と私は言った。

私は通りをどんどん上っていった。ウインドウをのぞきこんだりして、春の夕べ、行きかう人びとにも心が楽しんだ。三つのおもなカフェで、私は顔見知りの人たちや知り合いの人がいて、話の相手になった。けれど、いつでも、私の知らないずっと見かけのよい人びとがいた。彼らは、ちょうど、あかりのつき始める夕ぐれどき、連れといっしょに飲み、いっしょに食べ、それから愛の行為をするために、急ぎ足でどこかへ行こうとしていた。おもなカフェの人びとは、同じことをするのだろう。あるいは、ただ、坐って、飲んで、しゃべって、他の人たちに見られたがるのかもしれない。私が好むけれど、まだ引合わされない人びとは、大きなカフェへ行ったが、その理由は、そういう場所では、彼らの姿はかくれてしまい、だれにも気づかれず、彼らはそこにひとりでいながら、皆といっしょにいる、ということが可能だからだ。それにまた、大きなカフェは安かった。そして、どの店も良いビールを出し、食前酒(アペリチフ)の値段も手ごろで、その値段は酒をのせて出される敷皿の上にちゃんとしるされてあった。

この日の夕方、私は、こういうような健全だが、あまり変りばえのしないことを考えていた。そして、自分が日中、競馬に出かけたくてたまらなかったにもかかわらず、仕事に精進したので、とてつもなく聖人君子のような気がしていた。でも、このころは、たとえ競馬に精を出したら金がもうかりそうだったとしても、その競馬にゆく金がなかった。当時は、人工的に元気を鼓舞された馬を探り当てる唾液検査その他の方法が発見される前の時代で、興奮剤を飲ませることが、たいへん広く行われていた。しかし、興奮剤の入っている馬にハンディキャップをつけ、馬の集合する囲い地(パドック)で、その徴候を探り、時には第六感と呼んでもいいくらいの自分の知覚に従って行動し、それをたのみに今度は、失くしては困る金をはるということは、妻子をかかえた青年が、散文を書くという一人前の仕事を進めてゆこうとするやり方とは、そぐわないことであった。どういう標準から見ても、私たちはまだとても貧乏で、私は相変らず外で昼食に招かれているなんてことを言って、ちょっとした倹約をしたりするのだった。そう言いながら、実はリュクサンブール公園を歩いて二時間ほど過し、帰ってきて、すてきな食事をしたことを妻に語って聞かせるのであった。生れつきヘヴィウエイト級の体つきをしている二十五歳の青年が、一食をぬかせば、とても空腹になることは当然だ。けれどそれはまた、すべての知覚を鋭くもする。で、私がストーリーの中で書いた多くの人びとは、極めて強い食慾と、食物に対する非常な嗜好と欲求をもち、彼らの大部分は飲みものにありつきたがっている、ということになった。

ネーグル・ド・トゥールーズで、私たちは味の良いカホールぶどう酒を、四分の一、二分の一、または一リットル入りのガラスの水さしから、通例、約三分の一の水でうすめて飲んだ。製材所の上の家では、名前が通っているが安いコルシカのぶどう酒をもっていた。とてもコルシカらしいぶどう酒で、水を入れて半分にうすめても、なおもとの味が伝わるのだった。当時のパリでは、ほとんど無一文でもいい生活ができたし、時折食事をぬかし新しい衣服はいっさい買わずにいれば、貯金もできるし、ぜいたくもできた。

今、私はザ・セレクトからもどってきた。そのカフェで、私に馬の話をしかけるにちがいないと思ったハロルド・スターンズを見かけたので、避けて来たのである。馬という動物のことは、縁を切ったばかりのけだものとして、私は、公平に、気軽に、考えられるようになりつつあった。夕ぐれどき、聖人君子になったような気で、私は、ロトンドで定連が目白押しに席についている所を通過し、悪徳や集団心理をあざわらいながら、ドームへ向ってブールヴァールを横切った。ドームもまた混んでいた。けれど、そこには仕事をしている人びとがいた。働いているモデルもいたし、暗くなるまで仕事をしていた画家たちもいたし、よかれあしかれ、一日の仕事を終えた作家たちもいた。また、飲んべえや変り者もいた。その中には知人もいた。それから、ただ飾りものみたいな人びとも。

私は、パスキン〔ジュール・パスキン。一八八五—一九三〇。ブルガリア生れのパリ派の画家。のち米国に帰化。パリで自殺した〕が、姉妹のモデルといっしょにいるテーブルの方へ歩いていって、そこへ坐った。私がドランブル通りの側の歩道に立って、一休みして一杯飲もうかどうしようかと思っているとき、パスキンが私に手をふって合図したのである。パスキンは優秀な画家だった。彼は酔っぱらっていた。気はたしかで、わざと酔っぱらい、話は筋が通っていた。二人のモデルは、若くてきれいだった。一人は色が黒く、小柄で、見かけだけは、か弱く不良めいた美しい体つきをしていた。もう一人は、子供っぽく、鈍い様子だったが、すぐ消え去る幼児の美しさのようなものをもった美人であった。彼女は姉ほど、しっかりした体つきではなかったが、そういえば、ほかのだれだって、その春には、そう体はよくなかった。

「良くて悪い姉妹だよ」とパスキンは言った。「ぼくは金をもっている。何を飲む?」

「ドミ・ブロンドを一杯」と私はウェイターに言った。

「ウイスキーを飲めよ。金はあるから」

「ぼくはビールが好きだ」

「本当にビールが好きなら、リップへ行ってるはずだ。今まで仕事をしていたんだろうな?」

「そうだ」

「うまく行ってるか?」

「そう思うよ」

「けっこうだ。嬉しいよ。それに、まだ何でも味はいいか?」

「うん」

「きみはいくつだっけね」

「二十五歳だ」

「彼女と一発やりたいか?」彼は色の黒い姉の方を見て、にこっとした。「彼女にはそれが必要なんだ」

「今日はきみがもう十分にやったんじゃないのか?」

彼女は、唇を開いて私にほほえみかけた。「彼は悪い人よ」と彼女は言った。「でも親切だわ」

「きみは、彼女をアトリエへつれ込んだっていいんだよ」

「不潔なことを言わないで」とブロンドの妹が言った。

「だれがお前に話しかけているんだい?」とパスキンが彼女に聞いた。

「だれも話しかけてやしないわ。でも、あたしの意見よ」

「さあ、楽にしようぜ」とパスキンは言った。「まじめな若い作家と、愛想のいい賢明な老画家と、二人の美しくて若い娘さんと、皆前途洋々たるものだ」

私たちはそこに坐った。娘たちは飲物をすすり、パスキンは水割りフィーヌをもう一杯飲み、私はビールを飲んだ。でもパスキンを除き、だれもらくな気持にはなっていなかった。色の黒い女は、落ちつかず、挑発的な様子で坐っていた。光が彼女の顔のくぼんだ面にあたるように横顔を向け、黒いセーターの内に包まれている乳房を私に見せようとしていた。彼女の髪は短く刈られ、東洋人の髪のように、つややかで黒かった。

「お前は一日中、ポーズしていたんだ」とパスキンは彼女に言った。「今、カフェへ来てまでも、そのセーターを見せびらかさなくちゃならないのか?」

「こうしていると気もちがいいのよ」と彼女は言った。

「お前はまるでジャワのおもちゃみたいだ」と彼。

「目はちがうわ」と彼女。「もっと複雑よ」

「お前、まるで、哀れな変態の人形そっくりだ」

「たぶんね」と彼女は言った。「でも生きてるわ。あなた以上よ」

「それは調べてみよう」

「いいわ」と彼女。「あたし、証拠のあるのが好きよ」

「お前、今日やらなかったかい?」

「まあ、あれのこと」と彼女は言って、夕ぐれの最後の光を受けるように顔を向けた。

「あなたは、自分の仕事にまるで夢中だったわ。彼はキャンヴァスに恋しているんですよ」と彼女は私に言った。「いつも、何か下卑たところがあるんですけどね」

「お前は、ぼくに絵をかいてもらい、支払ってもらい、ぼくの頭をすっきりさせるための一発をやってもらい、その上、ぼくに愛してもらいたいんだ」とパスキンは言った。「このかわいそうな小さな人形」

「あんた、あたしが好きでしょ、旦那?」と、彼女は私に聞いた。

「とても」

「でも、あんた、大きすぎるわね」と彼女は悲しそうに言った。

「ベッドじゃだれでも同じサイズだよ」

「そりゃ嘘よ」と彼女の妹が言った。「もう、こんな話あきあきしたわ」

「ねえ」とパスキンは言った。「もし、このぼくがキャンヴァスに恋してるんだと、お前が思うんなら、あす、お前を水彩画で描いてやろう」

「いつ食事するの？　どこで？」と彼女の妹が言った。

「あたしたちと食事しない？」と色の黒い娘が言った。

「いや。ぼくは正妻（レジティム）と食事に行くよ」当時はこんな言葉使いをしたものだ。今なら「ぼくのいつもの相手（レギュリエール）」と言うところだ。

「行かなくちゃいけないの？」

「行かなくちゃならぬし、行きたくもある」

「じゃ、行けよ」とパスキン。「タイプライター用紙と恋に落ちないようにな」

「そんなことになれば、鉛筆で書くよ」

「あす、水彩画だよ」と彼は言った。「よしよし、お前たち、もう一杯飲んでから、お好みの所で食事をしよう」

「シェ・ヴァイキング」と色の黒い女が言った。

「あたしもよ」と妹の方もせがんだ。

「よしよし」とパスキンは承知した。「さよなら、若いお方（ジュノム）。よくお休み」

「きみも」

「この連中は、ぼくを寝かしてくれないよ。ぼくは眠ったりはしない」と彼は言った。

「今晩は、眠りたまえ」

「シェ・レ・ヴァイキングへ出かけたあとでか?」彼はニヤリと歯を見せて笑い、帽子を後頭部にのせた。彼は、本職の愛すべき画家であるというよりは、むしろ、一八九〇年代のブロードウェイの登場人物のように見えた。そして後に、彼が首吊り自殺をしたあと、私は、ドームでのその晩の彼の姿を思い浮べるのが好きだった。私たちが将来することの種子は、私たち皆の中に含まれているというが、冗談を言いながら人生を生きている人たちの場合は、種子がいっそう良い土と、いっそう上質の肥料でおおわれているというふうに、いつも私には思われた。

エズラ・パウンドとそのベル・エスプリ *Ezra Pound and His Bel Esprit*

エズラ・パウンドは、いつも良い友人だった。彼はしょっちゅう、ひとのために尽していた。彼が妻のドロシーと住んでいたノートルダム・デ・シャン街のアトリエ風の家は、非常に貧弱で、ガートルード・スタインのスタジオが豪華なのと好対照をなしていた。でも、たいへん採光がよく、ストーヴであたためられ、エズラの知人である日本人の画家たちの絵があった。彼らは生国の日本では皆貴族であって、長く刈った髪をしていた。彼らの髪は、黒く光り、おじぎをすると、前にゆらゆらした。私は、彼らから好印象を受けたけれど、その絵は好まなかった。それらを私は理解しなかったが、神秘的なところもなかった。そして今度は理解してみると、それらは私には無意味なものであった。こういう次第なのは残念だけれど、どうにもしようがない。

ドロシーの絵を私はたいへん好んだ。私はドロシーがとても美人で、すばらしい体つきをしていると思った。私はまた、ゴーディエ・ブゼスカ〔渦巻派を代表するフランスの彫刻家。一八九一—一九一五〕の作ったエズラの頭が好きだったし、エズラが私に見せてくれたこの彫刻家の作品の写真全部が気に入った。その写真は、彼についてのエズラの本に入っていた。エズラはピカビア〔一八七九年生れのフランスの画家。キュービスト、ダダイスト、シュルレアリスト〕の絵も好んだが、私は当時、その絵が無価値のものだと考えていた。私はまた、ウインダム・ルイスの絵がきらいだった。エズラはそれが大好きだった。彼は友だちの作品を好んだ。それは友人への誠実としては美しかったけれど、判断としては、わざわいすることもあった。私たちは、これらのことについて決して議論しなかった。私は、好きでない物事については、口を閉じていたからである。もし、人が彼の友だちの絵や書くものを好んだとしたら、それはたぶん、自分の家族を好む人に似ているのだろう。そして、彼らを批評するのは礼儀に外れているのだ、と私は考えた。時には、家族——きみ自身の家族、または姻戚関係の家族——を批評するまでは、なかなか時間がかかる場合があるが、下手な画家相手なら、ずっと容易である。というのは、彼らは、家族とちがって、ひどいこともしないし、急所を突くということもないからである。下手な画家に対しては、ただ、見なければいいのである。ところが家族の方は、見ないようにし、言うことを聞かないようにし、手紙には返事を出さないようにすることを覚えたとしても、他にいろんなやり方で危険をもたらすのである。エズラは、私よりも、人びとに対し親切でクリスチャン的な態度をとった。彼自身の書くものは、的を射たときは完全無欠であったが、彼は自分のまちがいに対しても非常に誠実であって、自分のあやまりをとてもいとおしんだ。そして、彼は人に対しても非常に親切なので、私はいつも彼のことを聖人みたいな人だと考えていた。彼はまた、怒りっぽかったが、たぶん、多くの聖人たちもそうだったろう。

エズラは、私にボクシングを教えてもらいたがった。私たちが、彼のスタジオで、ある日の午後おそくスパーリングをやっていたとき、私は初めてウインダム・ルイスに会ったのである。エズラはまだボクシングを始めてから間がなかったので、彼の知人の前で彼をあれこれ動作させるのが、私には具合がわるく、私は彼をできるだけうまく見せるように努めた。だが、どうもうまくなかった。彼にフェンシングのくせが残っていたからである。私は、彼の左手をボクシングのきき腕にすること、いつも左足を先に出し、右足をひきつけて揃えることを、まだ訓練していた。それは、基本的動作に過ぎなかった。私は彼に、左のフックをとばすことを教えこむことがどうしてもできなかったし、右手をひっこめることは、他日の課題として残った。

ウインダム・ルイスは、この界隈の人のように、幅広の黒い帽子をつけ、「ラ・ボエーム」〔プッチーニのオペラ〕に登場する人物のような衣裳をつけていた。彼の顔は、私に、蛙——といっても牛蛙でなくて、ただ、蛙——を思い出させた。そしてパリは彼にとって大きすぎる水たまりだった。当時、私たちは、どんな作家や画家も、彼がもっている服なら何でも着ていいし、芸術家には制服というものはない、と信じていた。ところがルイスは、戦前の芸術家の制服を着ていた。彼の姿を見ると、こちらがどぎまぎした。その彼は、私がエズラの左手の突きをそらしたり、右のグローヴを開いて、それをブロックしたりするのを、横柄な物腰で見つめていた。

私は、自分たちの練習を止めたいと思ったが、ルイスはぜひ続けろと言ってきかなかった。彼は、そこで行われていることには全く無知であるため、エズラが傷つくのを見たいと思って、待っていたのだ、と私にわかった。ところが、何事も起らなかった。私はカウンターを少しも打たず、エズラに左手をつき出させ、右手を数回ふらせながら、始終私を追っかけて動作させ、それから、もうすんだ、と言い、水さしの水で汗を流し、タオルで拭き、自分のセーターを着た。

私たちは何か飲物を飲んだ。エズラとルイスがロンドンとパリの人びとのことを話している間、私は耳を傾けていた。私はルイスを注意深く見つめていたが、ちょうどボクシングのときそうするように、彼を見ないようなふりをしていた。私はこんないやらしい顔をした人を見たことはないと思う。ある人びとは、良い馬が育ちを示すように、邪心を示すことがある。彼らは、頑固な腫物のような威厳をもつ。ルイスは邪心を示すことはなかったが、ただ全くいやな奴に見えた。

家路をたどりながら、私は彼が何を自分に思い出させたかを考えようとした。いろんなものがでてきた。それらは足指の垢（トウ・ジャム）というのを除いて、全部医学に関係したものだった。しかも、今あげた言葉はアメリカの俗語であった。私は彼の顔をこまかに分析して、それを叙述しようと試みたが、目だけしか物にできなかった。黒い帽子の下で、私が初めて彼を見たとき、その目は、強姦に失敗した男の目であった。

「今日は、今までに見た中で一番いやな奴に会ったよ」と私は妻に言った。

「タティ、その人のことは言わないで」と彼女は言った。「ごしょうだから、その人のことは言わないで。今からすぐ、晩ご飯を食べるのですから」

約一週間して、私はミス・スタインに会い、ウインダム・ルイスに会ったことを語り、彼女も彼に会ったことがあるかたずねた。

「私は、彼を〈尺取り虫〉と呼んでいるのよ」と彼女は言った。「彼はロンドンからやって来て、良い絵を見ると、ポケットから鉛筆を取り出すの。見ていると、彼は親指を鉛筆にあてて、それで絵を測るのよ。鉛筆で目測して、どういうふうに絵が描かれているかを正確に調べるの。それからロンドンへもどり、自分でやってみるけれど、うまく行かない。絵の本質をつかみそこなっているからよ」

そういうわけで、私も彼のことを、尺取り虫だと考えた。私自身が彼について考えたことよりは、親切で、クリスチャン的な言葉であった。あとで私は、彼が好きになるように、また彼と友だちになるように努めた。エズラが自分の友だちのことを私に説明してくれたときは、その友だちの大部分と、私は仲好くしようとしたのだが、今度もそのようにしたわけである。けれど、とにかく、先に述べたことは、エズラのスタジオで私がルイスに初めて会った日の印象である。

エズラは、私の知っている作家のうちで、最も寛容な最も私心のない人であった。彼は、自分が信頼する詩人や画家や彫刻家を助けたし、自分が信頼していようがいまいが、困っている人がいればだれでも助けた。彼は皆のことを気にかけた。私が彼と初めて知り合ったころは、T・S・エリオットのことで最も心配していた。エズラの話では、エリオットはロンドンの銀行で働かねばならないので、詩人として活動するのに時間が足りず、また適当な時間も割けないのだ、とのことであった。

エズラ・パウンドは、金持のアメリカ婦人で芸術の保護者であったミス・ナタリー・バーニーという人と、ベル・エスプリ（親切）と呼ぶものを創（はじ）めた。ミス・バーニーは私の前の時代の人レミ・ド・グールモンの友だちで、彼女はきまった日に自分の家でサロンを開いていた。庭には小さなギリシアふうのお寺があった。お金をたっぷり持っている多くのアメリカやフランスの婦人連は、サロンをもっていた。私はずいぶん早いころから、特に、そんな場所へは近づかない方がいいと判断していた。けれど、たしか、ミス・バーニーは、庭に小さなギリシアふうの寺をもっている唯一の人であった。

エズラは私にベル・エスプリのパンフレットを見せてくれた。ミス・バーニーは、そのパンフレットに、小さなギリシアふうの寺を使うことを彼に許可していた。ベル・エスプリの精神というのは、私たちがあるだけの収入の一部を皆で寄附して、エリオット氏を銀行から出すための基金にしよう、彼が詩を書くための金ができるように、というのであった。これは、私には良い考えのように思われた。そして、私たちがエリオット氏を銀行から出したあとも、エズラは、このままつづけて皆をちゃんとしようと、もくろんだのである。

私はいつもエリオットのことをエリオット少佐と言い、彼をダグラス少佐と混同したふりをして、物事を少しまぜこぜにした。ダグラス少佐というのは、経済学者で、彼の考えることに、エズラはたいへん熱意を示した。ところで、エズラは、私の心がまともで、ベル・エスプリに満ちていることを理解した。でも、私が、エリオット少佐を銀行から出すために、自分の友人たちから基金をつのると、中には、少佐なるものが銀行で何をやっているんだい、軍から首を切られたのなら、年金とか、せめていくらかの賜金でもないのか、という人もいそうで、エズラは気がもめる、とのことだったが。

そういう場合には、私は、それはすべて的はずれの話だと私の友人たちに言おう。要は、きみがベル・エスプリをもっているか、いないか、の問題だ。もし、もっていれば、少佐を銀行から出すために寄附するだろう。もっていなければ、それは残念なことだ。小さなギリシアふうの寺の意味がわかりますか？　わからない？　そうだろうと思っていた。残念だ、マック。きみの金はしまっておきたまえ。ぼくたちはそれに手をふれやしないから。

ベル・エスプリの一員として、私は精力的にカンパして歩いた。当時の私の最も楽しい夢は、少佐が自由の身になって、銀行から大股で出て来るのを見ることであった。ベル・エスプリが最後にどういうふうにして瓦解したかは思い出せないが、それは、「荒地」の出版と何か関係があったように思う。その作品は少佐にダイアル賞をもたらし、間もなく貴族のある婦人が、「ザ・クライティリオン」というエリオットのための雑誌の後援者となり、エズラと私は、もはや彼のことを心配する必要がなくなったのである。例の小さなギリシアふうの寺は、まだ庭にあると私は信ずる。私たちが、ベル・エスプリの力だけで、少佐を銀行から出してやれなかったことは、いつも私の失望のたねであった。私の夢では、彼がやって来て、たぶん、小さなギリシアふうの寺に住む、すると、たぶん私はエズラと同道してそこへ立寄り、彼に月桂樹の冠を与えるだろう、と心に描いていたのだ。私が自転車に乗ってとりに出かければ、良い月桂樹の見つかる場所を私は知っていた。そして、彼が寂しい思いをしたときはいつも、あるいは、エズラが「荒地」くらいのもう一つの長詩の原稿とか校正刷を見終ったときはいつも、彼に冠をさずけられるのだと、私は考えていた。でも、この一件は、私にとって、多くの事がそうであったように、道徳的にいってまずい結末になってしまった。というのは、私は、少佐を銀行から出すためにとりのけておいた金を、アンギャンへ持ち出して、興奮剤の影響下に障碍レースをした馬に賭けてしまったからである。二つの競馬で、私の賭けていた興奮馬は、興奮剤を飲まされなかった馬、あるいは興奮の不十分な馬に走り勝った。ただし、一つのレースでは、私たちのひいき馬は余りにも興奮させられたため、スタートの前に騎手を投げ出して逸走し、野外障碍物競走の全コースを、人が時々夢でとび上るような具合に、ひとりで見事な跳躍をしながら、走破したのであった。追いつかれて、再び騎手をのせ、馬はレースのスタートを切り、フランス風の表現を借りれば、先頭馬の一つとしてゴールへ入ったけれど、金もうけにはならなかった。

もし、賭け金がそっくり、今はもうないけれどベル・エスプリへ行ったのなら、自分はいっそう嬉しかったろうと思う。けれど、うまくいった賭けのおかげで、始めのつもりよりはずっと多く寄附もできただろうと思って、私は自分を慰めたのであった。

全く奇妙な結末　*A Strange Enough Ending*

ガートルード・スタインとの間柄がおしまいになったときの具合は、全く奇妙だった。私たちはとても親しい友だちになり、私は彼女のために、いくつか実際に役立つことをしてあげた。フォードのところで、彼女の長編をつづきものにして出させ始めるとか、原稿をタイプするのを手伝うとか、彼女の校正刷を読むとか。そして、私が望むことのできた以上の良い友だちになりかけていた。男が、一流の女の人と友だちである場合には、その間柄がいっそう良くなったり悪くなったりする前には、十分楽しいこともあろうけれど、あまり将来の見込みはないものだ。しかも、本当に野心的な女流作家の場合は、その見込みはさらに減りさえするのが通例である。あるときのこと、フラーリュス街二十七番地へしばらく顔を出さなかったことの言いわけに、ミス・スタインが在宅かどうかわからなかったからだと言ったとき、彼女はこう答えた。「でも、ヘミングウェイ、あなたはここへ自由に出入りしていいのですよ。それを知らないの？　あたし、本気で言ってるのよ。いつでもいらっしゃい。そしたら女中が――彼女は女中の名前を言ったが、私は忘れてしまった――もてなしてくれます。あたしが帰るまで、楽にしていてくださいよ」

この言葉を、私は濫用はしなかったけれど、ときどき私が立寄ると、女中は飲物をくれた。私は絵などを見て、もしミス・スタインが姿をあらわさなければ、女中に礼を言って、伝言を残して立去るのだった。ミス・スタインとその伴侶は、ミス・スタインの車で南へ行く用意をしていた。そしてこの日、ミス・スタインは、私にさよならを言いに午後来てくれと言っていた。ちょうど、ハドリーと私はホテルにとまっていたが、スタインは私たち二人に訪問してくれと言った。ところが、ハドリーと私は、他の計画をもち、他の場所へ行きたかったのである。もちろん、そういう望みについては何も言わないが、なおも彼女宅へ行きたいと思っていて、それから、どたん場に行くことが不可能とわかるのだ。私は、人を訪問しないですませるやり方を少しは知っていた。私はそれを学ばねばならなかった。ずっとあとで、ピカソが私に言うには、金持連中が彼を招待すると、彼はいつも行くことを約束する。そうすると彼らがたいへん喜ぶからだ。それから、何かが起って、彼は出席できなくなるのだ。でも、これはミス・スタインとは何の関係もないことで、ピカソは、他の人びとのことに関連して、この話をしたのだ。

美しい春の日だった。私はオブセルヴァトゥワール広場から小リュクサンブール公園を通って歩いて行った。マロニエが花を咲かせ、多くの子供たちが、乳母たちをベンチの上に腰かけさせたまま、砂利道の上であそんでいた。私は木立の間にジュズカケバトがいるのを見たし、姿は見えず、声だけするのも聞いた。ベルを鳴らす前に女中がドアを開き、入って待つようにと言った。ミス・スタインは今すぐにも下りて来るからとのこと。まだお昼前だったけれど、女中は私に一杯のオー・ド・ヴィーをついでくれ、グラスを私の手の中において、楽しげにウインクした。その無色のアルコールは、私の舌の上でさわやかにとけた。それがまだ口の中にあるとき、私はだれかがミス・スタインに話しかけているのを聞いた。それは、一人の人が他の人に向ってのしゃべり方としては、私がかつて一度も、どこでも、決して聞いたことのないようなものであった。

それから、ミス・スタインの声が、嘆願するように、懇願するように、こう言うのが聞えてきた。「あんた、やめて。やめて。やめて、ごしょうだからやめて。あたし何でもするわ。あんた、ごしょうだからそんなことするのをやめて。おねがいだからやめて。あんた、おねがいだからやめて」

私は飲物をグッと飲みこんで、テーブルの上にグラスをおき、ドアの方へ行きかけた。女中は私の方へ指をふって合図して、ささやいた。「行かないで。すぐ下りて来ますわ」

「ぼくは行かなくちゃ」と私は言って、立去りながら、それ以上何も聞かないように努めた。しかし、叫びは相変らず続いていて、それを聞かずにすます唯一の方法は、立去ってしまうことであった。聞いたことはいい気持じゃなかったが、答の方はなおさらひどいものだった。

中庭で、私は女中に言った。「ぼくが中庭へ来て、あなたに会ったというふうに言ってください。友だちが病気なので、長居できなかったんだと言ってください。で、私から、ボン・ボワヤージとね。あとで手紙を書きます」

「わかりました、旦那さま。お待ちになれなくて残念です」

「そうです。とても残念です」と私は言った。

こういうふうにして、私の方はおしまいになったのだ。ばかばかしい話だ。でも、私は相変らず雑用をしたり、必要なとき顔を出したり、招かれた人をつれて行ったりし、時が来て、新しい友人が入ってゆく際、他の友だちの大部分と共に自分がお払い箱になるのを待った。りっぱな絵といっしょに、新しいつまらぬ絵があちこち掛けられるのを見るのは悲しかったが、もう、どうでもよかった。とにかく、私にはどうでもいいことだった。彼女は、ホワン・グリ〔スペインの画家。一八八七—一九二七〕を除き、彼女が大好きだった私たち仲間のほとんど全部とけんかした。グリとけんかできなかったのは、彼がもう死んでいたからである。かりに生きていたとしても、彼がそのことを気にしたかどうか怪しいものだ。というのは、彼は、気にするなんてことを超越していて、そのことは彼の絵に表れていたからだ。

とうとうしまいに、彼女は新しい友人たちともけんかした。けれど、私たちのうち、もはやだれ一人そのわけのわかる人もなくなった。彼女はまるでローマ皇帝のような顔つきになった。相手の女がローマ皇帝に似ていていいんなら、それはけっこうなことだろう。だが、ピカソは彼女を描き、私は、彼女がフリウリ地方の婦人のような姿に見えたことを思い出すことができた。

最後に、皆は、いや皆が皆でないかもしれぬが、堅苦しくてまっ正直な態度を止めるため、再び友だちづきあいをした。私もそうした。でも、本当のところ、私は心の中でも頭の中でも、二度と友だちづきあいすることはできなかった。頭の中でもはや友だちになれぬときは、最悪の事態である。しかし、実際はもっと複雑なものであった。

死の刻印を打たれた男　*The Man Who Was Marked for Death*

エズラのスタジオで、ある午後、私は詩人のアーネスト・ウォルシュに会ったが、そのとき、彼は、長いミンクのコートを着た二人の女をつれていた。それから、外の街路には、クラリッジ・ホテルから来たハイヤーの車が、長いピカピカした車体を見せ、制服の運転手がついていた。女たちはブロンドで、ウォルシュと同じ船で、海を渡ってきたのだった。船はその前日着いたところで、彼はその女たちをつれて、エズラを訪問したのである。

アーネスト・ウォルシュは、色が黒く、気性が烈しく、完ぺきなアイルランド人で、詩的であり、ちょうど映画で死の刻印を打たれている一人物のように、明らかに彼は死の刻印を打たれていた。彼がエズラと話していた間、私は女の人たちと話した。彼女らは私に、ウォルシュさんの詩を読んだことがあるかとたずねた。私は読んでいなかった。すると、女の一人が、緑の表紙のついた、ハリエット・モンローの「ポエトリ——詩誌」を一冊とり出して、それにのっているウォルシュの詩を見せてくれた。

「彼は一つにつき千二百ドルもらうのよ」と彼女は言った。

「詩一篇ごとに」ともう一人の女が言った。

私の思い出したところによると、自分が、もしもらったとするなら、たしか一ページにつき十二ドルを同じ雑誌から受取ったはずだった。「彼はとても偉い詩人にちがいない」と私は言った。

「エディ・ゲスト〔エドガー・アルバート・ゲスト。イギリス生れのアメリカの大衆詩人・作家。一八八一—一九五九〕がもらう以上だわ」とはじめの女が私に言った。

「あの、だれだったか、もう一人の詩人がもらうより多い。おわかりでしょう」

「キップリングでしょう」と彼女の友だちは言った。

「だれがもらうより多いわ」と第一の女。

「パリに非常に長く御滞在ですか？」と私は彼女らに聞いた。

「まあ、そうでもないわ。本当はね、あたしたち、友だちのグループといっしょなの」

「ね、あたしたち、この船に乗って来たでしょ。ところが、実際、これはという人はいなかったのよ。もちろん、ウォルシュさんは乗っておられたわ」

「あの人はトランプをやらないのですか？」と私は聞いた。

彼女はがっかりしたふうだけれど、物わかりのよい様子で、私の方を見た。

「いいえ。する必要がないんです。あの流儀で詩を書いているんじゃね」

「どの船に乗ってお帰りですか？」

「そうですね、いろんなことで決まるんですが。船とか、ほかのたくさんのことで、決まります。あなたもお帰りですか？」

「いや。私は何とかやっていますので」

「このあたりは、まあ貧民街といったところじゃありません？」

「そうです。でも、かなり良いんですよ。私はカフェで仕事したり、外へ競馬に出かけたりするんです」

「そういう服を着て、競馬に行けるんですか？」

「いや。これは私のカフェ用の服装です」

「ちょっとイカスわね」と女の一人が言った。「あたし、カフェの生活というものをいくらかのぞいて見たいわ。ね、あなたもそうじゃなくて?」

「見たいわ」と他の女が言った。私は彼女らの名前を、私のアドレス・ブックに記入し、クラリッジの方へ電話すると約束した。良い女たちだった。私は彼女らと、ウォルシュとエズラとへ、さよならを言った。ウォルシュは、非常な熱烈さをもって、まだエズラと話しつづけていた。

「忘れないで」と、背の高い方の女が言った。

「忘れなんぞできますか?」と私は彼女に言って、彼女ら二人とまた握手した。

ウォルシュについて、私が次にエズラから聞いたニュースは、詩および死の刻印を打たれた若い詩人たちを愛好する何人かの婦人によって、彼がクラリッジ・ホテルから保釈を許されたということだった。それからしばらくして、次に聞いたニュースは、彼がもう一つの筋から財政的援助を受け、共同編集者として、その界隈で新しい雑誌を創刊しようとしている、というのであった。

当時、スコフィールド・セイヤーによって編集されていたアメリカの文学雑誌「ダイアル」が、寄稿者の優秀な文学作品に対して、たしか千ドルの賞金を毎年出していた。これは、当時の散文作家が受ける金としては、非常な巨額であり、おまけに名声が伴うのであった。この賞はいろんな人びとに行ったが、皆、当然それを受けるべき資格のある人だった。そのころは、ヨーロッパでは、二人が一日五ドルで快適な良い生活ができ、しかも旅行もできたのである。

ウォルシュが編集者の一人であったこの季刊誌は、最初の四冊を出し終ったところで、最上と判断される作品を寄せた人に対し、極めて高額の賞金を与えるというふれこみであった。

このニュースが、ゴシップとかうわさによって流布したのか、それとも個人的な機密事項であったのかどうかは、わからない。この件はあらゆる点で、全くりっぱなものであったと希望し、信じよう。たしかに、ウォルシュの共同編集者に対しては、何も言われず、非難も向けられなかった。

この賞が出るといううわさを私が聞いてから間もなく、ある日のこと、ウォルシュが、ブールヴァール・サン・ミシェルで最上の、一番高いレストランでの昼食に、私を招いた。牡蠣を食べ——見なれた、背の高い、安価なポルチュゲーズでなく、高価な、平たい、かすかに銅の味のするマレンヌの牡蠣だった——プーイ・フュイセのひとびんをあけたのち、彼はごく手ぎわよく、話をそちらへ向けて来た。彼は私をうまく手なずけようとしているように見えた。ちょうど、彼が船から、さくらを手なずけて来たように——もちろん、もしあの女たちがさくらで、彼に手なずけられて来たとすればだが。それから、彼が私に、もう一ダース平たい牡蠣——彼はそう呼んだ——を食べますか、と聞いたとき、私は、喜んでいただきます、と答えた。彼は、私の前では、わざわざ死の刻印を打たれているような顔をしてみせることもなかった。それで私もホッとした。彼が病いをもっていること――それは人をだますための病いではなく、当時よく死の原因となった肺病をもっていることで、それの進み具合を私が知っていることを、彼も意識していた。それで、彼はむりに咳をしてみせなければならぬこともなかった。食卓ではこのことを私はありがたく思った。私は彼が平たい牡蠣を食べたのは、ちょうど、カンザス・シティの売笑婦たちが、死の刻印や、その他ほとんどありとあらゆる刻印を打たれ、肺病に対する最上の治療薬として、いつも精液を呑みたがったのと同じなのかしらと、考えていた。けれど私は彼に聞かなかった。私は二度目の平たい牡蠣の一ダースに手をつけ、銀の皿に敷かれた氷屑の上から、牡蠣を拾い上げた。そしてレモンの汁をその上にしぼり出し、つながっている筋肉を貝からはずし、それを注意して嚙むために、持上げるとき、その信じられないほどデリケートな茶色のしわの先が、反応を起し、ちぢこまるのを、私は観察するのだった。

「エズラは、偉い、偉い詩人です」とウォルシュは、彼自身の黒い、詩人の目で、私を見ながら言った。

「そうです。それにりっぱな人間です」と私は言った。

「高潔だ。本当に高潔だ」とウォルシュ。私たちは、エズラの高潔さに対する敬意を表して、沈黙しながら、食べたり飲んだりした。私はエズラが恋しくなり、彼がそこにいてくれたらいいのにと思った。彼もマレンヌなんかに手は出ない方だ。

「ジョイスは偉い。偉い、偉い」とウォルシュ。

「偉い。それに良い友だちです」と私。彼が「ユリシーズ」を書き終え、長い間「進行中の作品」〔一九三九年刊の「フィネガンのお通夜」〕と呼ばれていたものを書き始める前のすばらしい期間に、私たちは友だちになったのだ。私はジョイスのことを考え、たくさんのことを思い出した。

「彼の目がよくなっているといいが」とウォルシュが言った。

「彼もそれを希望していますよ」と私。

「現代の悲劇だ」とウォルシュは私に言った。

「だれでも具合の悪いところがあるものです」と私は言って、昼食をほがらかにしようとした。

「きみにはそれがない」と、彼は十二分に魅力的な様子をし、それから、自分は死の刻印を打たれたような顔をした。

「このぼくには死の刻印が打たれていないということですか?」と私は聞いた。そう聞きたい気持をおさえられなかったのである。

「いや、きみには生（せい）の刻印が打たれているよ」彼は生という言葉を強調して言った。

「見ていてください」と私は言った。

彼は、なま焼けの、たっぷりしたステーキを所望し、私は二つの薄切ひれ肉にベアルネーズ・ソースをかけたものを注文した。私はバターの方が彼にいいんじゃないかと考えた。

「赤ぶどう酒はいかが?」と彼は聞いた。まかない係（ソムリエ）がやって来たので、私はシャトーヌフ・デュ・パープを注文した。私は、あとで、河岸（ケー）を歩いて、酔いをさますことにしよう。彼は、眠って酔いをさますか、あるいは、何でも好きなことをすればいいさ。私は自分の酔いをどこかへ持ってゆけばいいのだ、と私は考えた。

私たちがステーキとフランチ・フライド・ポテトを平らげ、昼食用の軽いぶどう酒ではないシャトーヌフ・デュ・パープを三分の二ほど飲んだとき、一件がもち出された。

「遠まわしの話をしたってしようがない」と彼は言った。「きみは賞をもらえそうだということは承知だろう?」

「ぼくが?」と私。「なぜ?」

「きみがもらうはずだよ」と彼は言った。彼は、私の作品について語り始めたので、私は耳を傾けるのをやめた。人が私の作品のことを私の目の前で話すのは、胸くそが悪かった。私は彼を見、彼の死の刻印を打たれた顔を見て、こう考えた。お前の手くだで、おれを手なずけようとする、この手くせの悪い男。おれは、道路のほこりに埋まった一大隊を見てきたんだぞ。その三分の一は死か、さらに悪い運命を背負っていたが、特に何の刻印も見られず、皆ほこりをかぶったままだった。それなのにお前、お前の死の刻印を打たれた顔、この手くせの悪い男、お前は死をたねにして生計を立てているんだ。今、お前はおれを手なずけようとしている。お前の方が手なずけられないように、人を手なずけることなんかやめろ。死は、彼に手くだを用いているのではない。死は手近にちゃんと来ているんだ。

「ぼくにはその資格がないと思います、アーネスト」と私は言った。彼に向って、自分のきらいな自分の名前で呼びかけることに心地よさを感じながら。「それに、アーネスト、それは道義的でもないしね、アーネスト」

「ぼくたちが同じ名前をもっているのは不思議じゃないか?」

「そうです、アーネスト」と私は言った。「ぼくたちは二人とも名前にふさわしくしなくちゃいけない。ぼくの言う意味はおわかりでしょうね、アーネスト?」

「うん、アーネスト」と彼は言った。そして、完全な、悲しげな、アイルランド人らしい物わかりのよさと、魅力を見せた。〔アイルランドの作家オスカー・ワイルドの劇「まじめが肝心」にも引っかけてある〕

こうして、私はいつも、彼および彼の雑誌に対して、たいへん親切にした。彼が喀血し、彼の雑誌が、英語の読めない印刷屋で刷り上るまで面倒を見てくれと私に頼んでパリを去ったときも、私はその通りにしてやった。彼の喀血を一度見たことがあるが、まったく本物であって、私は彼がやがて死ぬのはまちがいないと知った。そして当時、私の生涯の困窮の時であったが、彼に対して非常に親切にすることは、彼をアーネストと呼ぶのと同じくらい、私を喜ばせた。また私は、彼の共同編集者が好きだったし、彼女を尊敬もした。彼女は私に何の賞も約束しなかった。彼女はただ良い雑誌を作り上げ、寄稿者に良い稿料を払うことだけを望んでいた。

ずっとあとになって、ある日、私はジョイスに出会った。彼はひとりでマチネを見たあと、ブールヴァール・サン・ジェルマンをひとりで歩いていた。彼は俳優たちの顔が見えなかったけれど、その声に耳傾けることを好んだ。彼は、いっしょに一杯やろうと言って、二人はドゥー・マゴへ行き、ドライのシェリーを注文した。彼はスイスの白ぶどう酒しか飲まなかったというふうに、いつも本には書いてあるが。

「ウォルシュはどうかね?」とジョイスが言った。

「生きていても、死んでいるみたいな人ですよ」と私。

「彼はきみに賞を約束したかね?」

「ええ」

「そうだと思ったよ」とジョイス。

「彼はあなたにも約束しましたか?」

「そうだ」とジョイスは言った。しばらくして彼は聞いた。「パウンドにも約束したと思うかね?」

「わかりませんね」

「彼には聞かないのが一番いい」とジョイスが言った。私たちはそれでその話を打ち切った。私はジョイスに、長い毛皮のコートをつけた女たちをつれたウォルシュとパウンドのスタジオで初めて会ったことを話した。ジョイスはその話を聞いて、面白がった。

リラでのエヴァン・シップマン *Evan Shipman at the Lilas*

シルヴィア・ビーチの貸本店を見つけて以来、私は、ツルゲーネフ全部と出ただけのゴーゴリの英訳本と、コンスタンス・ガーネット訳のトルストイと、チェホフの英訳とを読んでしまった。トロントでは、私たちがまだパリへ来る前に、私は、キャサリン・マンスフィールドがすぐれた短篇作家だ、いや偉大な短篇作家だとさえ、聞いていた。けれど、チェホフを読んだあとで、彼女のものを読もうとすることは、良い素朴な作家であり、かつ表現力のある物知りの医者であった人の物語を聞いたあとで、まだそう年とっていないオールド・ミスが注意深く作った人工的な物語を聞くという趣があった。マンスフィールドは代用ビールみたいなものであった。水を飲んだ方がましだった。しかし、チェホフは、明晰さという点では水に似ていたが、ちっとも水っぽくなかった。

中にはただのジャーナリスティックな作品にすぎないものもあったが、すばらしいものもあった。

ドストエフスキーの作品の中には、信じられる物事と、信じられない物事とがあった。しかし、あるものは非常な真実性をもち、それを読んでゆくと、自分が変えられてしまうのであった。か弱さと狂気、邪悪と気高さ、それに気違いじみた賭博が、読者の前にその姿を現わすのだった。ちょうど、ツルゲーネフでは風景や道路が、トルストイでは軍隊の移動や、地形や、士官や、兵隊や、戦闘が、出て来るように。トルストイは、スティーヴン・クレインが南北戦争について書いたものを、病気の若者の派手な空想のように思わせた。その若者は、一度も戦争を見たことがなく、ただ戦闘の物語や歴史本を読み、この私も祖父母の家で読んだり見たりしたブラディ〔マシュー・ブラディ。アメリカ写真家の先達。南北戦争の写真で有名〕の写真を見たにすぎないのだ。私はスタンダールの「パルムの僧院」を読むまでは、トルストイを除いて、あるがままの戦争について読んだことがなかった。そして、スタンダールによるすばらしいウォータールーの叙述は、非常に退屈なところのあるこの本の中でのめっけものといったところだった。どんなに貧しくても、良い生活をし、働く方法のあるパリのような町で、読書の時間をもち、こういう新しい作品の世界に接したことは、大きな宝物を授けられたようなものであった。旅行するときも、この宝物を携えて行くことができた。私たちは、オーストリアのフォラールベルク地方の高い谷にシュルンズの村を見つけるまで、スイスやイタリアの山の中に住んでいたのだが、いつでもまわりに本があった。だから、日中は、雪や、森や、氷河や、その冬の問題や、村のホテル・タウベでの高所の宿りなど、自分の見つけた新しい世界に住み、夜は夜で、ロシアの作家たちがもってきてくれる別のすばらしい世界に住むことができたのである。初めのうちは、ロシア作家だけだったが、そのうち、他の連中も皆やって来た。けれど、長い間、ロシア作家だけのことがつづいた。

エズラと私が、あるとき、ブールヴァール・アラゴーに沿ったテニス・コートでテニスをしてから歩いて帰り、彼が一杯飲もうと私を彼のスタジオへ誘ったとき、私は彼に、ドストエフスキーを本当はどう思うか、とたずねた。

「本当のことをいうとね。ヘム」とエズラは言った。「ぼくは、ロシア人のものは読んだことがないんだよ」

それは率直な答だった。エズラは、私に向って、ほかの種類の答を口に出さなかった。でも、私は、たいへんそれを気に病んだ。というのはこういうわけだ。私が好み、かつ、批評家として最も信頼している人、適切な言葉（モ・ジュスト）――使うべき唯一の言葉――に信念をもつ人、私があとで、ある場合におけるある人びとに不信を抱くことを学んだように、私に形容詞に対する不信を教えてくれた人、その人がここにいた。だから私は、適切な言葉をめったに使わず、しかも他のほとんどだれもができなかったほど、人びとを時にはいきいきと描くことができたロシア作家についての、彼の意見が聞きたかったからである。

「フランスの作家たちに集中したまえ」とエズラが言った。「そこにたくさん学ぶべきことがあるよ」

「わかっています。至る所で学ぶことがたくさんあります」

私はエズラのスタジオを出て、製材所の方へ道をとり、見下すと、通りの両側が高い塀になっており、ゆき止りの開いたところに木立が見え、そのうしろに、ブールヴァール・サン・ミシェルの広い通りを越したところに、バル・ビュリエのはるかな正面が望まれた。大分おそくなって、私は門を開いて入り、新しく伐った材木のよこを通り、別棟の最上階へ通ずる階段わきの置き戸棚に私のラケットをもどした。階段の上の方へ声をかけたが、だれも家にいなかった。

「奥さんは外出です。女中さん(ボンヌ)も赤ちゃんも」と、製材所の所有者の奥さんが私に言った。むくむく太りすぎた、真鍮色の髪の毛をした、気むずかしい女だった。私は彼女にお礼を言った。

「若い男の人があなたに会いに見えましたよ」と彼女は言った。彼女はムッシューという代りに、若い男(ジュノム)という言葉を使った。

「リラにいると言いましたよ」

「ありがとうございました」と私。「もし家内がもどったら、ぼくはリラにいると言ってください」

「奥さんは、お友だちの方々とお出かけですよ」とその夫人は言い、紫色の化粧着のすそをからげて、ハイヒールで歩き、ドアも閉めずに、自分の領土（ドメーヌ）の入口へ姿を消した。

私は、背の高い、汚れた、すじのついた白い建物の間の通りを歩いて行き、日の当った、つき当たりの空き地のところで右折し、太陽が縞模様の影を作っているリラの中へ入った。

そこには知人が一人もいなかった。外へ出てテラスへ行くと、エヴァン・シップマンが私を待っていた。彼は良い詩人で、馬について知識も関心も持っていたし、物も書くし、絵も画いた。彼は立上った。見ると、背が高く、青ざめて、やせていた。ワイシャツは汚れていて、カラーのところがすり切れ、ネクタイはきちんと結んであった。くたびれた、しわのよったグレイの服を着、彼の指は髪の毛よりも黒く汚れ、爪もきたなく、愛情深く嘆願するようにほほえむ口もとをキッと引きしめて、悪い歯を見せないようにしていた。

「会えて嬉しいね、ヘム」と彼は言った。

「どうだい、エヴァン？」と私。

「ちょっと不景気でね」と彼は言った。「でも、ぼくは「マゼッパ」〔バイロン作のロマンティックな詩〕を卒業したと思うよ。きみの方、うまく行ってるか？」

「まあね」と私。「きみが来たとき、ちょうどエズラとテニスをしに行っていたんだ」

「エズラは元気か？」

「とても」

「そりゃ嬉しい。ヘム、きみの住んでいるところの家主のおかみ、ぼくがきらいらしいね。階上できみを待たせようとしなかったものな」

「彼女に言っておくよ」と私は言った。

「心配するな。いつだってここで待つよ。今、日が当っていて、とても気持がいいね」

「もう秋だ」と私は言った。「きみの服は、温かそうにも思えないが」

「夕方、冷えるだけだ」とエヴァンは言った。「コートを着るよ」

「そのコートはどこにあるのか知っているのか？」

「知らぬ。だが、どこか安全な所にあるよ」

「どうしてわかる？」

「その中に詩を入れておいたからさ」彼は唇を歯の上にキッと引きしめながら、心から笑った。「どうか、ぼくといっしょにウイスキーを飲んでくれ、ヘム」

「いいよ」

「ジャン」エヴァンは立上って、ウェイターを呼んだ。「ウイスキーを二つたのむ」

ジャンはびんと、グラス二つと、十フランの敷皿二つと、サイフォンをもって来た。彼は計量グラスを用いずに、グラスが四分の三あまり一杯になるまでウイスキーを注いだ。ジャンは、エヴァンが好きだった。ジャンの休みの日には、エヴァンはよく、ポルト・ドレアンの外の方の、モンルージュにあるジャンの庭へ出かけて、彼といっしょに仕事をしたのだった。

「大げさなことをするなよ」とエヴァンは、背の高い年寄りのウェイターに言った。

「ウイスキー二つでしょう」とウェイターはたずねた。

私たちは水を加えた。エヴァンは言った。「最初のひと飲みをうんと注意してくれ、ヘム。うまくやれば、しばらくは酔いがさめずにすむよ」

「きみは、からだを大事にしているかい?」と私はたずねた。

「うん、そうとも、ヘム。何かほかのことを話そうじゃないか」

テラスにはだれも坐っていなかった。そして、ウイスキーは、私たち二人のからだをあたためてきた。ぼくの方がエヴァンよりは、秋に備えて厚着をしていたのだが。ぼくは、下着の代りに汗とりシャツをつけ、それにシャツを着、シャツの上に、ブルーの毛のフランス船乗りセーターをかさねていた。

「ぼくはドストエフスキーのことで考えていたんだ」と私は言った。「どうして、人はこんなに下手に、全く信じられぬくらい下手に書いて、しかも、こんなに深い感動を与えることができるのか」

「それは翻訳がいいからというわけではあるまい」とエヴァンが言った。「訳者は、トルストイのものも、うまい訳で読ませるよ」

「わかってる。ぼくも、コンスタンス・ガーネットの訳を手に入れるまでは、何度も何度も『戦争と平和』を読みかけてうまく行かなかったことを覚えているよ」

「その訳もまだ改良の余地があるそうだね」とエヴァンは言った。「ぼくは、ロシア語は知らないが、たしかにそうだと思う。でも、ぼくたちは二人とも、翻訳というものを知っている。それにしても、これは全くとほうもない小説になってるね。一番偉大な小説だと思う。何度もくり返して読むといい」

「そうだ」と私は言った。「だが、ドストエフスキーは、くり返しては読めないよ。ぼくたちは、旅行中、シュルンズで、本を切らしたときに、ぼくは『罪と罰』をたまたまもっていた。ところが、何も読むものがないときでも、ぼくはその本を再読できなかったよ。ぼくは、タウフニッツ版のトロロップの本が見つかるまで、オーストリアの新聞を読んだり、ドイツ語の勉強をしたりしたよ」

「タウフニッツにめぐみあれだ」とエヴァンは言った。ウイスキーは燃える力を失い、今は、水を加えられて、ただ強すぎるだけのものになってしまった。

「ドストエフスキーはくそたれだったよ、ヘム」とエヴァンは言葉をつづけた。「彼は、くそたれと聖人を書くのが、一番得手だった。彼はすばらしい聖人を作るよ。ぼくらが彼を読み返せないのは残念だ」

「ぼくは『カラマーゾフの兄弟』をもう一度やってみるよ。前のときは、たぶん、ぼくが悪かったのだろう」

「そのいくらかの部分をも一度読むといい。その大部分をな。ところが、そうすると、またそれはきみを怒らせるだろう、どんなにそれが偉大な作品でもね」

「うん、まあとにかく、初めのときに何とか読めて幸いだった。たぶん、そのうちに、なおましな翻訳が出るだろう」

「でも、あまりそれに気を引かれるなよ、ヘム」

「引かれないさ。知らず知らずに得るところがあるというふうに、読むようにする。だから、読めば読むほど、良い影響があるわけさ」

「じゃ、ジャンのウイスキーで、きみのために乾杯といこう」とエヴァンは言った。

「そんなことをすると、ジャンが困るよ」と私。

「あいつはもう、困ったことになっているんだ」とエヴァン。

「どういうふうに」

「店の経営者が変るんだ」とエヴァンが言った。「新しい持主は、相当金を使うようなちがった客種(きゃくだね)を得たいと思っているんだ。それで、アメリカ式のバーを設けようとしている。そうなると、ウェイター連中は、白いジャケツを着ることになるよ、ヘム。それに、いつでも口ひげを剃りおとせるようにしておけと命ぜられているんだ」

「そんなことを、アンドレやジャンには押しつけられないだろう」

「できないはずだが、やるだろうよ」

「ジャンは一生涯口ひげをつけているんだよ。あれは、竜騎兵の口ひげだ。彼は騎兵連隊に勤務したんだ」

「あいつは、それを刈りとらなくちゃならぬだろう」

ぼくは、ウイスキーの最後の一杯を飲んだ。

「もう一杯どうです、旦那？」とジャンが聞いた。「ウイスキーいかが、シップマンさん？」彼の濃く垂れさがった口ひげは、彼のやせた、親切な顔の一部分であった。そして、彼の頭の禿げたてっぺんは、その上になでつけてあるいくすじかの髪の毛の下で、テカテカ光っていた。

「そんなことをするなよ、ジャン」と私は言った。「運にまかせるなんてことはするなよ」

「運もくそもありませんわい」と彼は、私たちに静かに言った。「てんやわんやです。出てゆく人もたくさんいます。はい承知（アンタンジュ）、旦那がた」と彼は声高に言った。彼はカフェへ入って行って、ウイスキーのびんと、二つの大きなグラスと、金のふちのついた十フランの敷皿と、セルツァ炭酸水のびんをもって出て来た。

「いいんだよ、ジャン」と私は言った。

彼は、敷皿の上にグラスをおき、ほとんどふちまでなみなみとウイスキーをつぎ、びんに入った残りをカフェへもどした。エヴァンと私は、セルツァを少し、グラスの中へそそぎこんだ。

「ドストエフスキーはジャンを知らなくてよかったよ」とエヴァンは言った。「飲みすぎて死んだかもしれないからな」

「これをどうするんだい？」

「飲んでしまうさ」とエヴァン。「それは抗議だ。直接行動だ」

次の月曜日に、私が午前中、仕事をしにリラへ行くと、アンドレがポヴリルをもって来た。それは、茶碗に牛肉エキスと水を入れたものである。彼は背が低く、ブロンドで、彼の短くてこわい口ひげのあったところに、唇がまるで僧侶の唇のように赤裸になっていた。彼は、白いアメリカのバーマンの上衣を着ていた。

「で、ジャンは？」

「明日まで店へ出ません」

「どうしてるんだい？」

「なかなか、ふんぎりがつかなかったんです。あいつは、戦争中ずっと、竜騎兵連隊にいたんです。武功十字章と陸軍メダルをもらいました」

「彼がそんなにひどい負傷をしたとは知らなかったな」

「いや、あいつは、もちろん負傷もしたけれど、あいつのもっているのは、違う種類のメダルですよ。勇敢な行動に対してもらったんです」

「ぼくが呼んでいたと、彼に言ってくれ」

「承知しました」とアンドレは言った。「早いとこ、ふんぎりをつけてほしいもんですな」

「シップマンさんからもよろしくと言っておいてくれ」

「シップマンさんは、あいつといっしょですよ」とアンドレは言った。「いっしょに、庭仕事をやってるんです」

悪魔の使い *An Agent of Evil*

エズラが、ノートルダム・デ・シャン街を立去って、ラパルロへ行く前に私に言った最後のことは、「へム、きみに、この阿片の入ったびんを保管してほしいんだ。そして、必要のときだけ、ダニングにやってもらいたい」

それは、大きな、コールドクリームのびんで、ふたをねじって開けてみたら、中味は黒く、ねばっこく、強いなまの阿片のにおいがした。ブールヴァール・デ・ジタリアン近くのオペラ通りで、それをインドの酋長から買ったのだが、それはとても高価だった、とエズラは語った。第一次大戦中およびその後の時代に、逃亡者や、情報売りのたまり場であった例の壁の穴(ホール・イン・ザ・ウオール)というバーから出たものにちがいないと私は考えた。それは、廊下と大してちがわぬくらいの、とても狭いバーで、赤いペンキ塗りの正面をもち、リュー・デ・ジタリアンに面していた。かつては、そのバーはパリの下水道へ通ずる裏の出口をもち、その下水道から、地下墓地(カタコーム)へ行けるのだと考えられていた。ダニングというのは、詩人のラルフ・チーヴァ・ダニングのことで、彼は阿片を飲んで、物を食べるのを忘れていた。喫煙をしすぎているときは、ミルクしか飲めなかった。彼は三韻句法(テルツァ・リーマ)で詩作したので、パウンドにかわいがられた。パウンドも、彼の詩にりっぱな素質を認めた。彼はエズラがスタジオをもっているのと同じ場所の中庭に住んでいた。エズラがパリを去ることになっていた数週間前に、ダニングが死にかけていたとき、エズラは私を呼んで助力を求めた。

「ダニングが死にかけている」とエズラの伝言があった。「すぐに来てくれ」

ダニングは、マットレスの上に横たわり、まるで骸骨のように見えた。彼がしまいには栄養不良で死ぬだろうということはたしかだったが、けっきょく私は、エズラに次のことを納得させた。つまり、優雅で均斉のとれた言葉づかいでしゃべっている間は、その人はめったに死ぬものでなく、三韻句法でしゃべっている人間が死ぬなんて聞いたこともない。そんなことはあり得ない。たとえダンテにそれができたとしても。すると、エズラが、ダニングは三韻句法でしゃべっているわけじゃないと言ったので、私は、エズラが自分を呼びによこしたときは眠っていたから、そのあと、ねぼけ耳にはたぶん三韻句法みたいに聞えたのかもしれない、と言った。死を待っているダニングと一夜を過したあと、とうとう、万事は医者の手にまかされることになり、ダニングは中毒をなおすために個人の病院へつれて行かれた。彼の勘定書きに対する支払いをすることをエズラは保証し、ダニングのために、だれかは知らないが詩の愛好家の協力を得た。本当の緊急事態が起ったときに、阿片を持参することだけが、私にまかされた。それはエズラに頼まれた神聖な任務であり、私はただ、自分がその任に堪え、本当の緊急事態を判断できたらいいと、もっぱら願った。その事態の起ったのは、エズラの門番が、日曜の朝、製材所の中庭にやって来て、私がちょうど競馬の予想を立てていた開いた窓のところを見上げて叫んだときであった。「ダニングさんが屋根へ上って、どうしても下りて来ないんです」

ダニングが、スタジオの屋根へ上って、絶対に下りることを承知しないというのは、本当の緊急事態に思われた。で、私は阿片のびんをさがし出して、門番といっしょに通りを歩いて行った。その門番は、小柄な、気性の烈しい女で、今の事態に非常に興奮していた。

「あんた、必要なものをお持ちだね？」と彼女は私に聞いた。

「ちゃんと持ってる」と私は言った。「うまく行くよ」

「パウンドさんは、万事に気のつく方だ」と彼女。「親切のかたまりみたいな人です」

「本当にそうだ」と私は言った。「毎日、彼がいなくて寂しいよ」

「ダニングさんが、聞きわけてくれるといいけど」

「ぼくにまかしてくれ」と私は彼女を安心させた。

スタジオのある中庭へついたとき、門番が言った。「あの人、下りましたよ」

「ぼくが来ることを知ったにちがいない」と私は言った。

私はダニングのところに通ずる外側の階段を上り、ノックした。彼がドアを開けた。やつれて、異常なほど背が高く見えた。

「エズラが、きみにこれをとどけるようにということだった」と私は言って、彼にびんを手渡した。「それが何かは、きみが知ってる、と彼は言った」

彼はびんを手にとり、それを見た。それから、それを私に投げつけた。それは私の胸か肩にあたり、階段をころがり落ちた。

「おい、きさま」と彼は言った。「このばか野郎」

「エズラは、それがきみに入用かもしれない、と言ったんだ」と私。それに応じて、彼はミルクびんを投げつけた。

「きみは本当にそれがいらないのかい?」と私は聞いた。

彼はもう一本のミルクびんを投げた、私は退いた。すると、彼はさらにもう一本のミルクびんで、私の背中をなぐった。それからドアを閉めた。

私はちょっとひびが入っただけのびんを拾い上げ、ポケットに入れた。

「彼は、パウンドさんからの贈り物がいらなかったようだね」と私は門番に言った。

「たぶん、今ごろは静まっているでしょう」と彼女は言った。

「事によると、自分でもいくらか持っているのかもしれない」と私は言った。

「かわいそうなダニングさん」と彼女。

エズラが呼びかけておいた詩の愛好家たちは、けっきょく、再びダニングの援助のために集った。私と門番が介入したことは、何の役にも立たなかった。阿片のつぼと称するものは、ひびの入ったまま、蠟引きの紙に包んで保管し、私はそれを古い乗馬靴の片方に入れて、注意深く結びつけておいた。数年後に、エヴァン・シップマンと私が、そのアパートから、私の私物を運び出していたとき、靴はまだそこにあったが、びんはなくなっていた。なぜダニングが私にミルクびんを投げつけたのかは、わからない。彼が初め死にかけていた晩、私があまり本当にしなかったことを、彼が覚えていたから、という理由でもあれば別だが。あるいは、それが単に、私という人間に対して元来虫が好かなかったためかどうかも、私にはわからない。けれど、「ダニングさんが屋根へ上って、どうしても下りてこないんです」という言葉を聞いて、エヴァン・シップマンが嬉しがったことを私は思い出す。その言葉には何かしら象徴的なものがあると、彼は信じた。私にはわからないが。たぶん、ダニングは私を、悪魔の使いか、警察のまわし者とでも思い込んだのだろう。ただ、私の知っていることは、エズラが、他のたくさんの人びとに対して親切であったと同じく、ダニングにも親切にしようとしていたことである。私は、エズラが期待していたように、ダニングが良い詩人になってくれることを、いつも祈っていた。だがエズラだって、とても偉い詩人だったが、テニスの球さばきはうまかった。詩人にしては、彼がミルクびんを投げたときのねらいは、たいへん正確だった。

エヴァン・シップマンは、非常にすぐれた詩人であり、自分の詩が出版されようがどうしようが全く気にしない男だったが、この件は永久の謎だ、と感じていた。

「ぼくたちは、人生に、もっと多くの本当の謎を必要とするね、ヘム」と彼はいつか私にもらしたことがある。「全く野心のない作家と、世に出ない、本当にすぐれた詩というものは、現代、私たちが最も望んでいるものだ。もちろん、暮しの問題もあるけどね」

スコット・フィッツジェラルド　*Scott Fitzgerald*

彼の才能は蝶の羽根の上の粉が織りなす模様のように自然であった。かって彼は、蝶と同じく、そのことを理解していなかった。そして、それが打ち払われたり、傷つけられたりしても気づかなかった。あとで彼は自分のいたんだ羽根とその構造を意識するようになり、考えることを学んだが、もはや飛ぶことはできなかった。というのは、彼の飛翔の望みはなくなってしまい、何の苦もなく飛べた時のことが、今や単なる思い出になってしまったからである。

初めて私がスコット・フィッツジェラルドに会ったとき、たいへん奇妙なことが起った。スコットには、多くの奇妙な出来事がつきまとっているが、この一件は、私が決して忘れることのできなかったものである。私がドランブル通りのディンゴーというバーで、全くつまらぬ連中といく人かといっしょに坐っていたところへ、彼は入ってきて、自己紹介をし、それから、背の高い、感じのいい連れの男を、有名なピッチャーのダンク・チャップリンだと紹介した。私はプリンストン大学の野球のことに気をつけていたわけではないから、ダンク・チャップリンという男のことは聞いたことがなかった。けれど、彼は並はずれて人好きがし、ほがらかで、ゆったりし、親しみ深く、私はスコットより彼の方がずっと気に入った。

当時スコットは、凛々しい美しさと可憐な美しさの中間くらいの顔をした若者に見えた。波打つ見事な金髪と、広い額、興奮した親しげなまなざし、繊細な長い唇の、アイルランド人らしい口もと〔フィッツジェラルドの母方の祖父はアイルランド系移民であった〕で、それが女性の口だったらさぞ美しいことだろうと思わせた。彼のあごは形がよく整い、良い耳と、きりっとした、美しいといってもいいくらいの、汚れのない鼻をしていた。これだけ造作がそろっても、可憐に美しい顔立ちというわけにゆくまいが、実はそういう顔に見えるのは、その色と、見事な金髪と、口のせいであった。彼を知るまで、彼の口が気になるが、彼を知ると今度は、口のことがいっそう気になるのだった。

私は彼に会うことに、非常に好奇心をもった。私は一日中、いっしょうけんめいに仕事をしたあとだった。そして、ここに、スコット・フィッツジェラルド、および、私の聞いたこともない、今知り合いになったばかりの偉大なダンク・チャップリンのいることは、全くすばらしいことに思われた。スコットはずっと話をやめなかった。彼の言ったこと――それはすべて、私の作品およびその優秀さについてであった――で、どぎまぎしたので、私は彼の言葉に耳を傾けないで、彼の顔をこまかに見つづけた。私たちの仲間でそのころまだ、本人の面前での賞讃は、公然たる侮辱だ、という考え方が通用していた。スコットはシャンペーンを注文し、彼とダンク・チャップリンと私は、たしか、つまらない連中のいく人かといっしょに、それを飲んだ。私も、ダンクも、彼のスピーチをあまり気をつけて聞かなかったように思う。というのは、それはただのスピーチだし、私はスコットを観察しつづけたのだから。彼は軽い体つきで、あまり健康が良いというふうにも見えず、顔がちょっとむくんでいるようだった。彼のブルックス・ブラザーズの服は彼にきっちり合い、着ていたワイシャツのえりは、下のはしをボタンでとめるようになっていた。彼はイギリス近衛兵のネクタイをつけていた。私はそのネクタイのことで、たぶん彼に注意してやる義務があるんじゃないか、と思った。というのは、パリにだってたしかにイギリス人はいるし、イギリス人がディンゴーに入って来ることだってあるかもしれない――現にそのとき、そこに二人いた――けれどやがて、私は、そんなことはかまうもんかと思い、スコットをもっと視た。あとでわかったんだが、彼はそのネクタイをローマで買ったのであった。

彼は、形の良い、器用に見える手、しかもあまり小さすぎない手をもっていた。またバーの椅子の一つに腰かけたとき、たいへん短い脚をしているのを私は見た。そういうことを除けば、私が今、彼を観察したところで、大して新知識が得られるというわけでもなかった。もし彼がふつうの脚をしていれば、たぶん、もう二インチ背が高かったろう。私たちが、最初のシャンペーンのびんをあけ、二番目のを飲み始めると、彼の話は次第にテンポがのろくなってきた。

ダンクも私も、シャンペーンを飲む前よりも気持がよくなり始めていた。そして今、スピーチを終ってもらうのがありがたかった。そのときまで、私は、自分が偉い作家であることが、自分と妻と、私たちが良く知っていて話し相手になる人たちだけの間で、注意深く伏せられていたような感じをもっていた。この私が偉い作家であるらしいことについて、スコットが、同じ嬉しい結論に達したことを、私は喜んだけれど、同時に、彼の話がとぎれそうになったことも、私には嬉しかった。ところが、スピーチのあとで、質問の時間がやって来た。彼がスピーチをしている間だったら、彼の様子を観察して、スピーチの方は耳に入れないでおくことができるけれど、質問となると、逃れようがなかった。あとでわかったことだが、スコットは、小説家というものは、自分が知る必要のあることを知るためには、自分の友だちや知人に直接質問してもいいという信念をもっていたのだ。質問は直接的だった。

「アーネスト」と彼は言った。「きみをアーネストと呼んでもかまわないだろうね」

「ダンクに聞いてくれ」と私は言った。

「ばかなことを言わないでくれ。これはまじめな話なんだ。ところで聞くが、きみときみの奥さんは、結婚前にいっしょに寝たかね」

「知らないな」

「知らないってどういう意味だ?」

「覚えていないんだ」

「だが、こういう重要なことを、どうして覚えていないんだ?」

「知らないね」と私は言った。「奇妙だね?」

「奇妙以上だね」とスコット。「きみは思い出せるはずだよ」

「すまん。残念だね」

「イギリスのお方みたいなことを言うな」と彼。「まじめになって、思い出してみてくれ」

「だめだ」と私。「望みなしだ」

「思い出すために、まじめに努力しろよ」

だいぶ大仰な話になって来たぞ、と私は考えた。私は彼がだれにでもそういう話をするのかしらといぶかったが、しないんだろうという考えにおちついた。というのは、彼が話をしながら、汗を出しているのを見てとったからである。その汗は、彼の長い、この上もなく整ったアイルランド人らしい上唇の上に、小さなしずくとなって出ていた。

それは、私が彼の顔から目を離して下を見、カウンターの椅子に腰かけながら、もち上げている彼の脚の長さに、目をつけていたときであった。今、私は再び彼の顔に視線をもどした。まさにその時、奇妙なことが起ったのである。シャンペーンのグラスを持ちながら、そこのカウンターに坐っている彼の顔の皮膚が、何だか引きしまったように見え、しまいに、むくんだところがすっかりなくなり、それから、さらにいっそう引きしまり、とうとう顔が髑髏みたいになったのだ。両眼がひっこみ、死相を帯び、唇は引きしまり、色が顔から消え、そのため、それは燃えた蠟の色になった。これは私の想像ではなかった。彼の顔は、私の目の前で、本当の髑髏、あるいはデス・マスクになった。

「スコット」と私は言った。「大丈夫か？」

彼は答えず、その顔は、前よりいっそう引きつったように見えた。

「彼を救急所へ連れて行った方がいい」と、私はダンク・チャップリンに言った。

「いや。大丈夫ですよ」

「まるで死にそうじゃないか」

「いや。いつもああいうふうになるんです」

私たちは、彼をタクシーにのせた。私はとても心配したが、ダンクは、大丈夫だから心配するな、と言う。「家へつくまでには、たぶんよくなります」と彼は言った。

よくなったにちがいない。というのは、数日後、クロズリ・デ・リラで彼に会ったとき、私は、あいつが変なふうに利いてまずかった、しゃべりながら、ぐいぐい飲んだからだろう、と言った。

「まずかったとは何だい？ 何がどういうふうに利いたって？ きみはいったい何の話をしてるんだ、アーネスト？」

「この間の晩のディンゴーの店のことを言っているんだ」

「ディンゴーで、ぼくは何もおかしなことはなかったよ。ぼくはただ、きみがいっしょにいたあの変なイギリス人が鼻について、家へ帰っただけだ」

「きみがあそこにいたときは、イギリス人なんていなかったよ。バーテンダーだけだった」

「わざとミステリーめいたことにするなよ。ぼくの言う連中のこと、知ってるんだろう」

「ああ」と私は言った。彼はあとでディンゴーへもどったのだ。さもなければ、もう一度行ったんだろう。いや、私は思い出した。あそこにイギリス人が二人いた。ほんとうだった。それがだれだったかを思い出した。たしかに、かれらはあそこにいた。

「そうだ」と私は言った。「その通りだ」

「インチキな肩書をもった女がいて、無作法なまねをしたし、あのばかな奴らが、その女と飲むのをつき合っていただろう。そいつらは、きみの友だちだと言ってたんだぜ」

「そうだよ。彼女は全く、とても無作法なことがあるんだ」

「わかったろう。人が二、三杯のぶどう酒を飲んだからって、それだけで、ミステリーめいた話なんかしてもむだだよ。なぜ、きみはミステリーを作りたいんだい？　きみのやるようなことじゃないと思っていたんだが」

「わからないね」私はもうその話は打切りにしたかった。それから、あることを思い出した。「連中は、きみのネクタイのことで、無作法をしたかい？」と私は聞いた。

「どうして、奴らが、ぼくのネクタイのことで無作法をしなけりゃならないんだい？　ぼくは、白のポロ・シャツに、無地の黒の編んだネクタイをしていたんだ」

私は、それでさじを投げた。彼は私に、なぜそのカフェが好きかと聞くので、私は昔のそのカフェのことを話してやったら、彼も、そのカフェを気に入ろうと努め始めた。で、私たちはそこに坐っていた。私はそこが好きだし、彼はそこが好きになるように努めながら。彼はいくつも質問をし、作家や、出版社や、エイジェントや、批評家や、ジョージ・ホレス・ロリマーのことや、ゴシップや、成功した作家であるための出費などについて、私に語った。そして、彼は、皮肉で、こっけいで、とても陽気で、魅力的で、好感をもたせた。たとえ、だれに対しても好感を持つことを警戒している人にとっても。彼は、自分のそれまで書いたものすべてについて、いかにも軽視しているように、しかし、にがにがしいという気持なしに語った。彼が過去の本の欠点について、にがにがしい気持を持たずに語るところを見れば、彼の新しい本は、きっと非常に良いものにちがいないと、私は思った。彼は、その新しい本「偉大なギャツビー」の手もとにただ一冊残った本を、人に貸してあるから、それをとりもどしたらすぐ私に読んでくれと言った。彼がその本のことを語るのを聞いても、それがどのくらいいい本なのか見当はつかないだろう。ただわかることは、彼がそれについて気恥しさをもっていることで、そういう気持は、すべてのうぬぼれをもたぬ作家が、何かすばらしいものを書いたあとでもつ気持である。だから私は、彼が早くその本をとり返して、私に読ませてくれるといいと思った。

スコットが私に言うには、マックスウェル・パーキンズ〔スクリブナーズ社の文芸編集者〕からの便りでは、その本の売行きはよくないが、とても良い書評が出たとのことであった。その日だったか、ずっとあとだったか思い出せないが、彼は私に、ギルバート・セルデスによる書評を見せてくれたが、それはこれ以上望めぬというくらいの良い書評であった。それをもっと良くするには、ギルバート・セルデス自身をもっと良くする以外に手はなかった。その本があまり売れないことで、スコットは困惑し、気分をこわしていた。けれど、私が前に言ったように、彼はそのとき、少しもにがにがしい気持をもたず、その本の質について、はにかんでもいたし、嬉しそうでもあった。

この日、私たちが、外でリラのテラスに坐って、夕やみが迫り、人びとが歩道を過ぎ、夕ぐれの灰色の光が移って行くのを見守っていたとき、私たちが飲んだウイスキー・ソーダ二杯は、彼の中に、何の化学変化も起さなかった。私は、変化がないかと注意して見ていたが、変化は来ず、彼は恥知らずの質問もせず、何も人をどぎまぎさせることをせず、スピーチもやらず、ふつうの、インテリの、魅力ある人物のように行動した。

彼は、自分と妻のゼルダが、小さなルノーの自家用車を、悪天候のためリヨンに乗り棄ててくる破目になったことを私に話し、汽車で自分とリヨンへ同行して、その車を拾ってパリまでいっしょにドライヴして来ないかと言った。フィッツジェラルド一家は、エトワールからあまり遠くないティルシット街十四番地に、家具つきのアパートを借りていた。時は晩春で、私は、田舎の景色は最高だろうし、私たちはすばらしい旅行ができるだろうと思った。スコットはとてもやさしく、物わかりもよさそうに見えた。彼が本式のウイスキーをたっぷり二杯飲むのを見たが、何事も起らなかった。彼の魅力と、表に現れた良識は、ディンゴーでの先夜のことを不快な夢にすぎないものと思わせた。それで、私は、喜んでリヨンへ同行しよう、いつ出発したいのか、と言った。

私たちは、その翌日会うことに同意し、それから午前中に出る急行列車でリヨンへ向うことに手筈をきめた。この汽車は、好都合な時間に出発し、たいへん早いことがわかった。たった一ヵ所にしか止まらなかった。それはディジョンだったと覚えている。私たちは、リヨンへついたら、車をしらべて完全に修理してもらい、すてきな晩餐をし、翌朝早くスタートしてパリへもどるという計画を立てた。

私は、その旅行について熱心だった。自分より先輩の、売り出している作家を連れにするのだから、どうせ車の中で話しているうちに、きっと、いろんな有益なことを教わるだろう。スコットのことを、年上の作家だと思ったことを今ふり返ってみると、奇妙な感じがする。けれども、当時、私はまだ「偉大なギャツビー」を読んでいなかったので、彼をずっと年上の作家とばかり思っていた。三年前に「サタデイ・イーヴニング・ポスト」誌に出た彼のストーリーを読んで面白かったことを考えたが、彼のことを純文学の作家だとは一度も思ったことがなかった。クロズリ・デ・リラで、彼は、自分が良いストーリーだと思うもの——それは、「ポスト」誌にとっても本当に良いストーリーだった——をどういうふうにして書くか、次いで、それらを雑誌のストーリーとして売れるものにするためにどういう手心を加えたらいいかのつぼをちゃんと心得ているから原稿を渡す前に変更を加えるのだ、ということを私に話してくれていた。私はこれを聞いてショックを受け、そりゃまるで売春と同じだと思う、と言った。彼は、たしかに売春行為だが、将来ちゃんとした本を書くために前もって資金を得る目的で、雑誌で金をもうけるんだから、そうする必要があるんだ、と言った。私は、だれでも、自分の書ける最上のやり方以外の書き方で、ものを書いたら、きっと自分の才能をこわしてしまうという確信をもっていると言った。ところが彼は、自分が本物のストーリーを最初に書くのだから、しまいにそれをこわしたり変えたりしても、自分には何の害にもならないんだ、と言った。私はそれが信じられず、彼と議論して、意見をひるがえさせようとしたが、自分の信念のささえとなり、彼に見せて、納得させるための小説を自分でもっていることが必要だった。ところが、まだ私はそういう小説を一つも書いていなかった。私は自分の書くものを全部こわして、安易なところをすべてとり除き、叙述する代りに作り出すことを試み始めてきたが、それ以来、書くことはすばらしい仕事であった。けれど、それはたいへんむずかしく、小説みたいに長いものを、自分がいったい書けるのかどうか、わからなかった。ただの一節を書くのでも、午前たっぷりかかることがよくあった。

妻のハドリーは、自分で読んだスコットの作品をまじめに考えてはいなかったけれど、私がこの旅行をするのを喜んだ。彼女がすぐれた作家だと考えているのは、ヘンリー・ジェイムズであった。でも彼女は、私が仕事を一休みするのを良い考えだと思った。本当は、私たちに車を買うだけの金があれば、自分たちで旅行したいと思ったのだが。しかしそれは私にとっては夢みたいな話だった。私は、その秋アメリカで出版予定の短篇小説の最初の本に対する前渡し金として、ボニ・アンド・リヴァライト社から二百ドルを受取っていた。それに、私は、「フランクフルター・ツァイトゥング」紙と、ベルリンの「デア・ケルシュニット」誌、それに、パリの「ジス・クォーター」とか「トランスアトランティック・リヴュー」などの雑誌に、ストーリーを売っていた。そして私たちは、非常に節約した生活をし、七月にパムプローナで行われるお祭(フェリア)に行き、マドリッドへ行き、あとでヴァレンシアのお祭に行くための金をたくわえるために、必需品以外には一文も使わないでいた。

スコットと私がリヨン駅を出発することになっていた朝、私はうんと早目について、改札口の外側でスコットを待った。彼が切符をもってくるはずだった。汽車の出発時刻が迫っても彼がやって来ないので、私は入場券を買い、彼をさがしながら列車の横にそって歩いた。彼の顔は見えなかった。その長い汽車が動き出そうとしたとき、私は乗車して、彼が乗っていてくれさえしたらと思いながら、はしからはしまで歩いてみた。それは長い汽車だったが、彼は乗っていなかった。私は車掌に事情を説明し、二等の切符を買って代金を払い——三等はなかった——車掌に、リヨンで一番良いホテルの名前を聞いた。ディジョンからスコットに打電して、私がリヨンで彼を待つことにするホテルの宛名を知らせるより手はなかった。彼は出立前にその電報を受取らないだろうが、彼の妻が、それを彼に打電すると考えられた。そのころまで、一人前の大人が汽車に乗りおくれるなんて話を聞いたことがなかったが、この旅行で、私はたくさんの新しいことを学ぶことになった。

当時、私はすぐにカッといきり立つ気質だった。けれど、汽車がモントローを通り過ぎるころまでには、気もしずまった。田園風景を見て楽しめないほど、立腹していたわけでもなく、昼には、食堂車でたっぷり昼食をたべ、サン・テミリオンをひとびん飲み、こう考えるようになっていた。すなわち、他人が費用を出してくれるという旅行への招待に応ずるなんて、おれは実におめでたい男だし、妻とスペインへ行くのに必要な金を、ここで浪費しているわけだが、たとえそうだとしても、私にとっては、これは良い薬になった、と思ったのだ。ワリカンでなく、先方払いという旅行への招きに、私はそれまで一度も応じたことはなかった。今度の旅行でも、ホテルや食事の費用をワリカンにしようと、私は主張していたのだ。けれど今になってみると、フィッツジェラルドが姿を現わすことさえも、怪しくなってきた。私は、怒っている間に、彼をスコットという親しい呼び方から、フィッツジェラルドという他人行儀の名前におろしてしまった。あとになって、私は、自分が最初から怒るだけ怒って、そういう気持を卒業してしまったのがよかったと思った。これは、怒りっぽい男では、とうていっとまらないような旅行だったのである。

リヨンで、私は、スコットがリヨンに向けパリを出発したけれど、泊る場所については何も言い残していないことを知った。私は、スコット宅へ知らされている私のホテルの宛名を確かめた。召使は、もし主人から電話でもかかれば、奥さんがそちらへ知らせますと言った。奥さんはそのとき、体の具合がすぐれず、まだ眠っておられる、とのことであった。私は一流のホテルへ片っぱしから電話して、伝言をたのんだが、スコットの居場所をつきとめることはできなかった。それから、私はカフェへ出かけて、食前酒（アペリチフ）を飲み、新聞を読んだ。カフェで、私は、火を食べることで、生計を立てている男に会った。彼はさらに、歯のない上あごと下あごで貨幣をはさみ、それを親指と人さし指で曲げることもした。彼の歯ぐきは痛んでいたが、それを見せてくれたところでは、まだしっかりしているように目にうつった。悪い職業（メチエ）じゃないよ、と彼は言った。私は彼に一杯飲むように誘うと、彼は喜んだ。彼は立派な黒い顔をし、火をたべるとき、その顔は赤く輝いた。彼の言うには、リヨンでは、火を食べても、指やあごで力わざを見せても、金にならないとのことだった。インチキな火食いの見せ物師が、この商売を台なしにしてしまった。これからも、実演を許されるところへ出廻っては、この仕事をだめにしてしまうだろう、と言う。彼は、夕方ずっと火を食べつづけていたが、その晩は、ほかのものを食べるだけの金が入らなかった。私は彼にもう一杯すすめ、火食いをしたため舌に残った石油の味を洗い流すようにと言った。そしてもし彼が安くておいしい所を知っていたら、晩飯をいっしょにしようと誘った。彼はすばらしい所を知っていると言った。

私たちは、アルジェリアふうのレストランで、とても安い食事をした。そこの食べものやアルジェリアのぶどう酒も気に入った。その火食いの男は良い人柄で、彼が食べるのを見るのはおもしろかった。たいていの人が歯でかむところを、彼は歯ぐきで同じくらい上手にかむことができたからである。私が何をして生計を立てているかと聞くので、作家としてやってゆこうとしているんだ、と答えたところ、どんなものを書くのか、と言うから、ストーリーだと返事をした。彼は、たくさんストーリーを知っていて、その中には、今までに書かれたどんなものよりも、おそろしく、信じられぬようなものがある、と言う。それらを私に話すから、私がそれを書けばよい。もし、いくらかでも金になったら、適当と思う額だけ、彼に渡してくれればいい。それよりなおいいのは、いっしょに北アフリカへ行き、彼は私をブルー・サルタンの国へ連れて行くから、そこで、人がまだ聞いたこともないようなストーリーを物にすることができるだろう、というような話だった。

どんな種類の話か、と聞くと、彼は、戦闘、処刑、拷問、暴行、恐ろしい慣習、信じられないような習俗、放蕩、その他何でもお望み次第とのこと。私は、ホテルへもどって、もう一度スコットのことを調べる時刻になっていたので、食事代を払い、きっとまたばったり会いますよ、と言った。彼はマルセイユの方へ仕事をしながら行くと言う。私は、おそかれはやかれ、どこかで出会うだろう、夕飯をごいっしょにできて愉快だった、と言った。曲った貨幣をまっすぐにのばして、それをテーブルの上に積み重ねている彼を残して、私はホテルへ歩いて帰った。

リヨンは、夜、あまり楽しい町ではなかった。それは大きな、重々しい、金をガッチりにぎった町で、もし自分が金持で、そういう種類の町が好きなら、たぶん、けっこうな所だろう。何年も前から、この町のレストランですてきなチキン料理を出すことを聞いていたが、私たちは、代りに羊の肉を食べた。羊の肉はとてもうまかった。

ホテルへもどっても、スコットからは何の伝言もなかった。私はふだんに似ないぜいたくなホテルのベッドに入り、シルヴィア・ビーチの貸本文庫から持ってきたツルゲーネフの「猟人日記」の第一巻を読んだ。ぜいたくなホテルにとまるのは、三年ぶりだった。窓を大きく開き、枕を巻いて肩と頭の下に入れ、ツルゲーネフと共に楽しくロシアに遊んでいたが、そのうち読書しながら、とうとう眠ってしまった。朝、食事に出かける用意に、ひげをそっていたとき、デスクから知らせがあり、男の方が下へ面会に来られたとのことであった。

「上って来るように言ってください」と私は言い、早朝からひどく活気を呈してきた町の騒音を聞きながら、ひげそりを続けた。

スコットは上って来なかったので、私は下のデスクのところで彼に会った。

「こういう行き違いがあって、たいへん申しわけない」と彼は言った。「きみの行くホテルを知っていさえしたら、もっと簡単にすんだのだが」

「かまわんよ」と私は言った。これから長いドライヴをするところだし、喧嘩をしてもはじまらぬと思ったからである。「きみは何時の汽車で来たの?」

「きみが乗った汽車のちょっとあとの奴だ。とても快適な汽車で、いっしょにそれに乗って来てもよかったと思ったくらいだ」

「朝食はすんだかね？」

「まだだ。きみを探して、町中、かけずり廻っていたんだ」

「そりゃお気の毒」と私は言った。「ぼくがここにいると、おうちの人は言わなかったのかい」

「いや。ゼルダは体の具合がよくなかった。ぼくはたぶん来ちゃいけなかったのかもしれぬ。今までのところ、旅はすべて、めちゃめちゃだ」

「朝食でもたべて、あとは車のありかをさがして、出発しようじゃないか？」と私は言った。

「それでけっこうだ。ここで朝食をたべるのかね？」

「カフェへ行く方が早いだろう」

「でも、ここでは、うまい朝食を出すにきまってるよ」

「じゃいいだろう」

ハム・エッグのついた、たっぷりしたアメリカ式の朝食だった。それは、とてもおいしかった。けれど、それを注文し、料理の来るのを待ち、それを食べ、その支払いをするのにひまどっているうちに、一時間近くが、むだ使いされてしまった。ウェイターが、勘定書をもって来る段になって、スコットは、ホテルで、ピクニック・ランチを作らせようと決心した。私は彼と議論して、それを思いとどまらせようとした。マコンへ行けば、マコンぶどう酒のひとびんは買えるのだし、豚肉屋（シャルキュトリ）でサンドウィッチの材料も買えるだろうと確信したからだ。あるいは、私たちが通るころ、万一、店がしまっていたら、途中で立寄ることのできるレストランはいくらでもあるだろう。ところが、彼は、リヨンではチキン料理がすばらしいと私に聞いたから、どうしても一つ携えてゆきたいと言う。それで、私たちが自分で買うのより、高くて四、五倍はするような昼弁当を、ホテルが用意してくれた。

スコットが私に会う前に、酒をくらっていたことは明らかだった。もっと飲みたいような顔をしていたから、出発前にバーで一杯飲もうかと聞いた。すると彼は、朝から酒を飲むことはしないが、きみは飲むのか、とたずねた。私は、それは全く、そのときの気分と、仕事の具合次第だと言った。彼は、もしきみが飲みたいのなら、ひとりで飲まなくてもすむように、つき合ってやろう、と言う。そこで、私たちは、昼弁当のできるのを待つ間、バーでウイスキー・ペリエを飲み、二人共、ずっと気分がよくなった。

私はホテル代とバーの勘定を払った。スコットが全部払うと言ったけれど、この旅の始めから、このことに関して、私は気分的にちょっと複雑な感じをもっていた。ところが、私がいろんな支払いを自分ですればするほど、気分が良くなった。せっかくスペイン旅行のために貯めておいた金を使い果そうとしていたのだが、私は、シルヴィア・ビーチには信用があるから、今むだ使いしているくらいの金は、借りて、あとで返せるだろうと、見当をつけていた。

スコットが車を置いて行ったガレージで、その小さなルノーが無蓋（むがい）であることを知って、私はびっくりした。車の屋根は、マルセイユで船から車をおろすときに損傷したのか、あるいは、マルセイユに置いてある間に何かでこわれたのだった。ゼルダはその屋根を切り取ってしまうようにいいつけ、代りの屋根をつけるのをこばんだ。妻は、車の屋根がきらいでね、とスコットは私に言った。そして彼らは、無蓋のままリヨンまで走ったところで、雨にストップをかけられたのだ。屋根の点を除けば、車はちゃんとしていた。水洗い代、油さし代や、二リットルのガソリンを追加した代金について、何とかかんとか文句をつけたあと、スコットは勘定書きの支払いをした。ガレージの男は、その車が新しいピストン・リングを必要とすること、ガソリンや水の足りないままで走っていたことはたしかなことを、私に説明した。そのため、モーターの塗料が熱くなって燃えてしまったのも、私に見せてくれた。その旦那（ムッシュー）を説得して、パリでリングの修理をするようにしたら、その車は、元来、質のいい小型車なんだから、それ相応の働きができるはずだ、と彼は言った。

「旦那は、私に新しい屋根をつけさせないんです」

「そうか？」

「車に対しての責任があるんですがね」

「その通りだ」

「あなた方は、レインコートをおもちじゃないんですか？」

「もっていない」と私は言った。「何しろ屋根のことは知らなかったからね」

「あの旦那に本気になってもらうようにしてくださいよ」と彼は訴えるように言った。

「少なくとも、車についてはね」

「ああ」と私は言った。

リヨンから一時間ほど北へ走ったところで、私たちは、雨にストップをかけられた。

その日は、たぶん、十回も雨にストップをくったのである。束の間の夕立ではあったが、それでも長いのと短いのとあった。もしレインコートを持っていたのなら、その春雨にぬれてドライヴするのも楽しかったことだろう。そうじゃなかったので、私たちは木蔭をさがしたり、道ばたのカフェにとまったりした。私たちは、リヨンのホテルから、すばらしい昼弁当をもってきていた。それは、ショウロで味つけした、とてもうまいロースト・チキンと、おいしいパンと、マコンの白ぶどう酒だった。スコットは、車をとめるたびに、マコンの白ぶどう酒を飲んで、喜んだ。マコンへつくと、私は、そのうまいぶどう酒をさらに四本買って、私たちが飲みたくなると、コルク栓を抜いた。

スコットが、それまでに、びんから直接ぶどう酒を飲んだことがあったかどうかは、はっきり知らない。でも、それは彼にとって、極めて心をおどらすような経験だった。まるで、スラムを訪問するときのような気持だった。あるいは、女の子が、水着なしで、初めて泳ぎに行くときに、わくわくするようなものだった。でも、午後一、二時ごろまでには、彼は、自分の健康のことを気にし始めていた。最近、肺の充血で死んだ二人のことを、彼は私に話した。二人共イタリアで死に、スコットは、たいへんそれが心にこたえたと言う。

私は彼に、肺の充血というのは、肺炎の古風な呼び名だと言った。すると、彼は、私がそれについては何も知らず、全くまちがっているのだ、と言う。肺の充血というのは、ヨーロッパに土着の病気であって、たとえ、この私が父の医学書を読んでいたとしても、それは、厳密に言ってアメリカ的な病気を扱っているのだから、私がこの病気について知っているはずはない、と言う。私は、自分の父が、ヨーロッパでも勉強したのだ、と言った。しかしスコットは、肺の充血は、最近、ヨーロッパだけに出てきた現象で、私の父がそれについて少しでも知っていたとは考えられない、と説明した。また、病気というものは、アメリカのいろんな地域によって違うものであり、もし、私の父が中西部でなくてニューヨークで開業していたとするなら、彼は全く違った範囲(ガマット)の病気を知ることになっただろう、と説明を加えた。彼は、範囲(ガマット)という言葉を使った。

合衆国のある地域ではある種の病気がはやり、それが他の地域で見出されないという点を彼が指摘したのはもっともだ、と私は言い、ニューオーリンズでらい病の多いことと、一方シカゴではその発生率が低いことをあげた。けれど、医者たちは、仲間同士で、知識と情報の交換をする組織をもっていることを言い、彼がこの問題をもち出したので、思い出したんだが、私は、ヨーロッパにおける肺の充血に関する権威ある論文を、「アメリカ医学協会雑誌」で読んだことがある、それは、その病気の歴史を、ヒポクラテス〔古代ギリシアの名医、医学の祖〕自身にまでさかのぼった研究だ、と言った。これを聞いて、スコットはしばらく静かになった。私はマコンをもう一杯すすめた。適度にこくがあるけれど、アルコール分の低い、良い白ぶどう酒というものは、この病気に対しては、まるで特効薬と考えられるからであった。

スコットは、このあと少し陽気になった。けれど、やがてまただめになって、私に、熱とうわ言の始まる前に大きな町へつけるかしらと聞いた。その熱とうわ言というのは、ヨーロッパ式の、本当の肺の充血の徴候だ、と私は彼に話していたのだった。私は今度は、フランスの医学雑誌で読んだことのある同じ病気についての論説に従って話を進めた。私が、のどを焼灼（しょうしゃく）してもらいにヌーイのアメリカン・ホスピタルへ行って、待っている間に、その論説を読んだのだ、と私は彼に語った。焼灼というような言葉は、スコットを慰撫する効果をもった。けれど、彼は、いつ私たちが町へつくのかを知りたがった。私は、このままどんどん走れば、二十五分から一時間の間につくだろうと言った。

スコットは、それから、死ぬのがこわいか、と私に聞いた。私は、こわいときもあるし、それほどでもないときもある、と答えた。

今や、本当にひどい雨降りになってきた。私たちは、次の村のカフェで雨やどりをした。その午後のくわしいことを全部覚えているわけではないが、とうとう、たしかシャロン・シュール・ソーヌのホテルへ入ったとき、時間がとても遅くて、ドラッグ・ストアは閉店していた。ホテルへつくとすぐ、スコットは服をぬいでベッドについた。肺の充血で死ぬのはかまわない、と彼は言った。ただ問題は、だれがゼルダと子供のスコッティのめんどうを見るかだった。私自身、妻のハドリーと、小さい息子のバンビーのめんどうを見るために、しゃきしゃきと、かなり烈しく働いているので、どうしたら、ゼルダとスコッティのめんどうまで見られるかについては、あまり見当もつかなかった。けれど、私は、最善をつくすと答え、スコットは私に感謝の意を表した。私は、ゼルダが酒を飲まないように、かつスコッティがイギリス人の女家庭教師をもてるように、気をつけねばならぬことになった。

私たちは、服を乾かしに出し、パジャマを着ていた。外ではまだ雨が降っていたが、室内はあかりがついていて陽気だった。スコットは、闘病のための力を貯えるために、ベッドに寝ていた。私は彼の脈を測ってみたら、七十二だった。額に手をあててみても、熱くない。胸部に耳をあてて聞き、深呼吸をさせてみたが、音には異常がなかった。「ね、スコット」と私は言った。「きみは、全くオー・ケーだ。風邪を引かないために一番いいことをしたいのなら、ただベッドにいればいいのさ。二人分のレモネードとウイスキーを注文しよう。きみはきみで、アスピリンといっしょに飲めばいい。そしたら、気分がよくなって、鼻風邪さえ引かずにすむよ」

「例の旧式療法か」とスコットは言った。

「きみには熱がない。熱もないのに、いったい、どうして肺の充血なんか起るかね？」

「ぼくにどなるのはよしてくれ」とスコット。「どうして、ぼくに熱がないのがわかるんだ？」

「きみの脈は正常だし、手でさわっても熱くないよ」

「手でさわっても、か」とスコットはにがにがしげに言った。「きみが本当の友だちなら、体温計をもって来てくれ」

「ぼくは、パジャマ姿だよ」

「じゃ、人をやればいい」

私はウェイターを電話で呼んだ。でも、やって来ないので、また電話をかけた。それから、廊下へ彼をさがしに行った。スコットは、目をつむり、ゆっくり注意して呼吸しながら横になっていた。蠟色をし、整った顔立ちの彼は、まるで小さな十字軍の兵士が死んでいるように見えた。もし、これが私の送っている文学生活というものであるなら、私はもうそういう文学生活には、嫌気がさしていた。自分が、仕事をしないでいることに、すでに空虚感を抱いていた。そして、人生において浪費される毎日の終りにやって来る死の寂しさを感じていた。私は、スコットにも、このばかげた喜劇にも、あきあきしていた。でもウェイターを見つけたので、体温計とアスピリン錠を買う金を与え、レモン・スカッシュ二つとダブルのウイスキー二つを注文した。ウイスキーをひとびん注文しようとしたのだが、一杯ずつしか売らないのだ。

部屋へもどると、スコットは自分が記念像として墓石の上に彫られたかのように、相変らず横になっていた。目は閉じられ、りっぱな威厳を見せて呼吸しながら。

私が部屋へ入ってくる物音を聞きつけて、彼は言った。「体温計を手に入れたか?」

私は歩み寄って、手を彼の額にあてた。墓石のように冷たくはなかった。が、平熱で、ねっとりしてもいなかった。

「いや」と私は言った。

「持って来てくれると思っていたのに」

「買いにやったよ」

「話が少し違うな」

「そうだ。違うね」

スコット相手に腹も立たないのは、気ちがい相手で腹が立たぬのと同じだった。でも私は、こういう馬鹿なことに、自分がかかり合ったことに、腹が立って来た。でも、彼の言うことには、たしかに一応の理屈があった。私にはそれがよくわかっていた。当時の酔っぱらいは、たいてい、肺炎で死んだ。その病気は、今ではほとんど退治されているけれど。といっても、彼を酔っぱらいだと見なすこともむずかしかった。何しろ、ほんのちょっぴりのアルコールにでも影響されるのだから。

そのころ、ヨーロッパでは、ぶどう酒というものを食物と同じく健康的で、通例のものと考え、また、幸福と安寧と喜びとの偉大な与え手だと見なしていた。ぶどう酒を飲むことは、俗物根性でもなければ、ひねくれた大人っぽさのしるしでもなければ、熱中礼讃の対象物でもなかった。それは、食べることと同じく自然なことであり、この私にとっても必要なことであった。私は、ぶどう酒かサイダーかビールを飲まずに食事をするということは、考えられなかっただろう。私は、甘い、あるいは甘口のぶどう酒と、こくのありすぎるぶどう酒を除いて、あらゆるぶどう酒を好んだ。で、かなり軽い、辛口の、マコンの白ぶどう酒の二、三びんを分けて飲んだところで、スコットの体に彼を痴呆にするほどの化学変化が起ろうとは、夢にも思わなかった。なるほど、午前中にウイスキー・ペリエを飲んだことは飲んだが、当時自分がアルコール中毒者について無知であったため、一杯ぐらいのウイスキーが、雨の中をオープン・カーに乗ってドライヴしている人間をだめにするとは、想像もできなかった。アルコールはたちまち酸化してしまうからだ。

ウェイターがいろんなものを持ってくるのを待つ間に、私は坐って新聞を読み、その前に停車したときに栓を抜いたマコンのびんの一つを飲み終えた。フランスに住んでいると、新聞には、毎日つづきを読むような、すばらしく面白い犯罪事件がいくつか出ているのが常である。これらの犯罪は、まるでつづきもののストーリーのような読みものになっていて、最初の方のいく章かを読んでいることが必要である。アメリカの連載ストーリーにあるのと違って、話の梗概(こうがい)というものが出ていないからだ。しかもアメリカの定期刊行物においても、もし最も重要な第一章を読んでいなければ、どんな連載ものでも、つまらなくなるのだ。フランスを旅行している間は、新聞を見てもがっかりする。なぜなら、種々様々の犯罪(クリム)や情事(アフェール)や醜聞(スカンダル)のつづきがわからなくなり、カフェに陣取って、そういう記事を読むという楽しみの多くも失われるからである。今晩だって、私はカフェにいる方がよほどよかった。そこで、パリの新聞の朝刊を読み、人びとを眺めたり、晩餐に備えて、マコンより、もう少しちゃんとした酒を飲むこともできたのだ。ところが、今、私はいわばスコットを車で送るお目付役みたいなものだったから、自分の置かれた立場で楽しむだけだった。

ウェイターが、氷入りのレモン・スカッシュと、ウイスキーと、ペリエ水のびんといっしょに、グラスを二つ持ってやって来たとき、彼の話では、薬局が閉じてしまい、体温計を手に入れることができないということだった。アスピリンはいくらか借りて来ていた。体温計も借りられるかどうか見てくれと、私はたのんだ。スコットは目を開き、意地悪な、アイルランド風の顔つきをして、ウェイターの方をにらんだ。

「きみは彼に、事の重大なことを話したのかね？」と彼はたずねた。

「彼はわかってくれたと思うよ」

「何とか事情をはっきりさせてもらえませんかね」

ぼくは事情をはっきりさせようと努力した。ウェイターは言った。「できるだけ見つけて、もって来るようにします」

「きみは、彼がサービスしてくれるように十分チップをやってくれたのかね？　あいつらは、チップをもらうから働くんだぜ」

「そりゃ知らなかった」と私。「ぼくは、ホテルの方で、給料以外の賞与みたいなものも出しているのだと思っていた」

「ぼくの言うのは、まとまった額のチップをやらなけりゃ、親身の世話をしてくれぬ、ということさ。やつらの大部分は、腐りはてているんだよ」

私は、エヴァン・シップマンのことを考えた。また、クロズリ・デ・リラで、アメリカ式のバーを設けたときに、口ひげをむりに切らせられたそこのウェイターのことや、私がスコットと知り合うずっと前のことだが、モンルージェにある彼の庭園で、エヴァンが仕事をしに出かけたことや、リラでは私たち皆が、どんなに仲好しであったか、また、長いこと仲好くして来たかを考え、今までにあったすべての移動のこと、それが私たち皆にとって、どういう意味をもったか、というようなことを考えた。私は、リラの一件を、前にもたぶんスコットに言ったことがあるかもしれぬが、この際、洗いざらいぶちまけようかとも考えた。しかしスコットという男は、ウェイターや、彼らのもっている問題や、彼らの非常な親切や情愛については、何の関心ももたぬということを、私は知っていた。当時、スコットは、フランス人がきらいだった。そして、彼がきまって出会うフランス人は、ほとんど彼と話の通じないウェイターや、タクシー運転手や、ガレージの雇い人や、旅館のあるじに限られていたので、彼は、そういう人びとを、はずかしめたり、こき使ったりする機会をたくさんもっていた。

彼のイタリア人に対する嫌悪は、フランス人に対する嫌悪をさえ上まわるものであった。素面でいるときでも、彼は、おちついて、イタリア人のことを話題にできなかった。イギリス人を嫌うこともよくあったが、時には彼らを大目に見、また彼らを尊敬することも時折あった。彼がドイツ人やオーストリア人に対して、どんな気持をもっていたかは知らない。当時、そういう人びととかスイス人とかに会ったことがあったかどうかも、私にはわからない。

この晩は、ホテルで、彼が極めておだやかにふるまっていたので、私は嬉しかった。彼はレモネードとウイスキーをまぜて、アスピリン二錠といっしょに、彼に渡した。彼は何も文句を言わず、感心するほどの冷静さで、そのアスピリンを飲んでしまい、それから飲みものをちびりちびりやっていた。今や、彼の目は開き、遠くを見ていた。私は、新聞の中の犯罪(クリム)を読んでいて、とても楽しかった。全く、楽しすぎるように思われた。

「きみは冷たい男だね」とスコットが言うので、彼の顔を見上げると、さきほど私が彼を観察して得た考えが、まちがっていた――私の診断の方は正しかったとしても――ということに気づいた。ウイスキーは、私たちにとってまずい作用をしていたのである。

「それはどういう意味かね、スコット？」

「きみはそこに坐りこんで、そういう汚ならしいフランスのぼろ新聞を読んでいるが、ぼくが死にかけていることは、屁とも思わないんだ」

「医者を呼んでほしいのか？」

「いや、汚ならしいフランスの田舎医者などごめんだよ」

「じゃ、どうしてくれというのだ？」

「体温を計ってほしいんだ。それから、服を乾かしてもらって、パリ行きの急行に乗り、ヌーイにあるアメリカン・ホスピタルへ行きたいんだ」

「ぼくたちの服は、朝まで乾かないよ。それに、急行列車だってない」と私は言った。

「きみは、休息して、ベッドで晩飯でもたべたらどうなんだい」

「ぼくは体温を計ってもらいたいね」

こういう話が長いこと続いたあげく、ウェイターが体温計をもって来た。

「これしか手に入らなかったのか？」と私は聞いた。ウェイターが入って来たとき、スコットは目を閉じていて、まさに大理石の聖人像くらいに遠くはなれた存在に見えた。一人の男がこんなに急速に顔から血の気をなくするのを私は見たことがなく、その血はいったいどこへ行ってしまったのかしら、と思った。

「ホテルには、これしかないのです」とウェイターは言い、私にその体温計を手渡した。見ると、それは風呂用の温度計で、背が板になっており、風呂の中にそれを沈めておくに足る重さの金属がつけてあった。私はいそいでウイスキー・サワーをごくっと飲み、ちょっとの間窓を開けて、雨を見た。私がふり返ると、スコットは、じっと目をすえて私を見ていた。

私は、慣れた手つきで、温度計をふりおろして、言った。「肛門体温計でなくてよかったよ」

「こういうのは、どこへ入れるんだい？」

「わきの下さ」と私は言って、それを自分のわきの下へさし込んだ。

「温度計を狂わすなよ」とスコット。私は一回だけぐいと鋭く下へふって、温度計をなおし、彼のパジャマのジャケツのボタンをはずして、温度計を彼のわきの下に入れ、その間、彼のひんやりした額に手をあて、それから再び彼の脈を取った。彼はまっすぐ前方を見つめていた。脈搏は七十二だった。私は、温度計を四分間入れておいた。

「体温計は一分間入れておけばいいものだと思っていた」とスコット。

「これは大きいのでね」と私は説明した。「温度計のサイズ番号を二倍するのだ。これは摂氏の温度計だ」

とうとう、私は温度計をとり出し、読書用のランプのところへ、それを持って行った。

「どうだね?」

「三十七度六分だ」

「平熱は何度?」

「これが平熱だ」

「きみはたしかかね?」

「たしかだよ」

「自分のを計ってみてくれ。安心できないから」

私は、温度計をふりおろし、パジャマを開いて、それをわきの下に入れ、時間を見ながら、そのままにしておいた。それからとり出して見た。

「どうだい?」私は目盛をしらべた。

「全く同じだ」

「きみの気分は？」

「とびきり上等だ」と私は言ったが、実は、三十七度六分が本当に平熱かどうか、思い出そうとしていた。が、それはどうでもいいことだった。その温度計は、何をしたって変らずに、常に三十度を示していたからである。

スコットが少し疑わしそうな様子をしているので、もういっぺん、熱をしらべてほしいのか、と聞いた。

「いや」と彼は言った。「こう手っとり早く回復して、好都合だったね。ぼくは、いつも、なおりの早い方でね」

「きみは大丈夫だ」と私は言った。「でも、ベッドから起きずに、軽い夕食をした方がいいと思うよ。そしたら、朝早く出発できるからね」私は二人のレインコートを買う計画だったが、それには、彼から金を借りねばならなかった。そして、今、そのことで議論を始める気にもならなかった。

スコットはベッドにとどまっていたがらなかった。起きて、服を着て、階下へ行き、ゼルダに電話して、自分は無事だと知らせたがった。

「きみが無事でないなんて、彼女は思うかね？」

「ぼくたちの結婚以来、はなれて寝るのは、今晩が初めてなんだ。彼女に話をしなくちや。ぼくたち二人にとって、どういう意味があるか、きみにだってわかるだろう?」

私にはわかるにはわかったけれど、彼とゼルダが、すぐ前の晩に、どうやっていっしょに寝ることができたのか、わけがわからなかった。でも、それは議論したってはじまらないことだった。スコットは、今や、ウイスキー・サワーをぐいぐい飲んでしまい、もう一杯注文してくれと、私に言った。私はウェイターを見つけ、温度計を返し、私たちの服はどうなっているかとたずねた。一時間もたてば乾くでしょうとのことだった。

「ボーイに服をプレスさせてくれ。そしたら乾くよ。からからに乾かなくたっていいんだから」

ウェイターは、風邪よけの飲物を二杯もってきた。私は自分のをちびちび飲み、スコットにもゆっくり飲むようにすすめた。私は今、彼が風邪を引きはしないかと心配になっていた。風邪のように、決定的に悪いものにかかったとすれば、たぶん病院に入れずばなるまい、ということが、このときまでには、はっきりわかっていた。けれども、飲物は、しばらくの間、彼をとてもいい気持にし、今夜は、結婚以来、ゼルダと彼が初めて別々の夜を過すことになるんだと、いかにも悲劇的なそぶりをして悦に入っていた。とうとう、彼女に電話することをこれ以上待ち切れなくなったと見え、彼は化粧着をつけて、階下へ電話を申込むために下りて行った。

電話が通じるには相当の時間がかかる。彼が上って来てからしばらくして、ウェイターがダブルのウイスキー・サワーを二杯もって、姿を現わした。そのときまで、スコットがこんなにたくさん飲むのを見たことがなかった。でも、ウイスキーは、彼をいっそう元気よくおしゃべりにしただけで、他に何の効果も、彼には及ぼさなかった。彼は、ゼルダとの生活の概略を私に語り始めた。戦争中、彼女に初めて会ったときのこと、それから彼女を失い、また取りもどしたこと、かれらの結婚のこと、次いで、約一年前に、サン・ラファエル〔南仏の町の名〕で二人の身に起った悲劇的事件について語った。ゼルダとフランスの飛行士が恋に落ちたということを私に語ったこの最初のときの話は、本当に悲しい物語であり、私はそれが本当の話だったと信ずる。あとで、彼はその話をいくつかの違った語り方で私に話した。まるで小説の材料にその話を使おうと試みているようだった。だが、どれも、このとき聞いた最初の話ほど悲しくなかった。で、私はいつもこの最初の話を信じた。どの一つをとっても本当の話だったかもしれないんだが。とにかく、話のたびにうまくなっていた。しかし、最初の話と同じふうに、心に喰い入ることはなかった。

スコットは、表現力がたしかで、話がうまかった。彼の手紙の方は、訂正しないままでは、まるで無学者の書いたものを読んでいるような感じを与えるのだが、話を聞いていると、そういう感じはしなかった。彼を知ってから二年たって、やっと彼は私の名前の綴りが書けるようになった。でも、それは、綴るには長い名前だし、たぶん、しょっちゅう綴るのは、なおさらむずかしいことだったのだろう。だから、とうとうおしまいに、彼が私の名前をちゃんと綴れるようになったことを、大いに認めてやりたい。彼はもっと重要なものを綴ることを知り、さらにずっと多くのものを、明瞭に考えようと努めたのだ。

けれど、この晩、彼は、サン・ラファエルで起ったことがいったい何であったかを、私が知り、理解し、味わってみることを希望した。私はその出来事を非常にあざやかに心に描くことができたので、単座式の海上機一機が、跳込み用の筏すれすれにとぶところや、海の色や、フロートの形や、それが投げる影や、ゼルダの日に焼けた色、スコットの日に焼けた色、彼らの髪の濃いブロンドとうすいブロンド、それに、ゼルダと恋におちた若者の黒い日焼けした顔など、目に見えるようだった。私は心の中にわだかまっている質問をすることができなかった。つまり、もしこの話が本当で、こういうことが全部起ったとするなら、どうして、スコットは毎晩ゼルダと同じベッドに寝ることができたのか、ということ。でも、たぶん、そのことが、この話を、それまで私がだれから聞いたどの話よりも、悲しいものにしたのだろう。また、事によると、彼は覚えていなかったのかもしれぬ、昨夜のことを覚えていなかったのと同様に。

電話の通じる前に、私たちの服がもどってきた。私たちは着かえて、晩飯をたべに階下へ下りた。今や、スコットはいささか落着かなくなり、ちょっと戦闘的態度で、人びとを横眼でにらんでいた。始めにガラスの水さし一杯のフラーリといっしょに、とても旨いかたつむりが出た。私たちがそれを半分くらい平らげたところで、スコットの電話がつながった。彼は一時間ほどもどって来なかったので、私はとうとう、彼の分のかたつむりまで食べ、バターやニンニクやパセリのソースを、ちぎったパンきれですくい取り、水さしのフラーリを飲んだ。彼が帰って来ると、私は、彼のためにもっとかたつむりを注文しようと言ったが、彼はもういらないとのことだった。彼は何か簡単なものがほしいのだった。ステーキもいらぬし、レバーやベーコンもいらぬし、オムレツもいらぬ。チキンをもらおう、と言う。すでに、私たちは、たいへんおいしいチキンの冷肉を、昼食に食べていたのだが、ここは相変らず、チキンの名産地なので、プーラルド・ド・ブレスと、この近所でできる軽い、気持のいい白ぶどう酒モンタニーのひとびんを注文した。スコットはほとんど食べず、ぶどう酒のグラスを一つちびちび飲んでいた。そして、テーブルについたまま、両手の上に頭をのせて、酔いつぶれてしまった。それは自然で、ちっとも芝居がかったところはなく、むしろ物をこぼしたり、こわしたりしないように、彼自身気をつけているようにさえ見えたのである。ウェイターと私は、彼を、彼の部屋まで運び上げ、ベッドの上に寝かした。私は彼の服をぬがせて下着だけにし、その服を掛け、それからベッド・カヴァーを剥いで、彼の体の上へひろげた。私は窓を開け、外が晴れていることをたしかめ、開けたままにしておいた。

階下で、私は晩飯を終え、スコットのことを考えた。彼が何も飲んではいけないということは明らかだった。私は、彼のことに十分気をつけてやらなかったのだ。彼が飲むものは何でも、彼を刺激しすぎ、次いで彼を毒するように思われた。で、私は翌日、あらゆる飲物を最小限度に切りつめることを計画した。もうパリへ帰るところなんだし、私は創作するために飲酒を規制する必要がある、と彼に言うことにした。それは本当ではなかった。私の場合、規制するといっても、夕食後と仕事の前と仕事中に、決して飲まぬということだった。私は二階へ行き、全部の窓を広く開けはなし、服を脱ぎ、ベッドへ入るとすぐ眠りこんだ。

その翌日は、美しく晴れ上った日で、私たちは、コート・ドールを通ってパリへ向けてドライヴした。空気は新しく洗われ、丘も野も、ぶどう畑も、すっかり新しく見えた。スコットはとても快活で、楽しげで、健康で、マイクル・アーレン〔イギリスへ帰化したアルメニア作家。ロンドンの社交界を描く。一八九五―一九五六〕の本のおのおのについて、それぞれの筋を話してくれた。スコットが言うには、マイクル・アーレンは注目すべき作家で、私たちは二人とも、彼から多くを学ぶことができる、とのことだった。私は、その本が読めない、と言うと、スコットは、読む必要はない、自分で筋を話し、登場人物の説明もしてやる、と言う。彼は私に、マイクル・アーレンについての学位論文を口述したようなかっこうになった。

私はスコットに、ゼルダと電話で話したとき、うまくつながったかどうかたずねた。

彼は、なかなか良くて、たくさんのことを話し合った、と言う。食事のとき、私は、一番軽いぶどう酒をさがし出して、それをひとびん注文し、スコットに向って、自分が創作の前に飲酒を規制する必要があり、どんな場合でも、半びん以上は飲んではいけないから、どうかこれ以上注文することは、かんべんしてもらいたい、と言った。彼は実によく協力してくれ、ひとびんを飲み終えるころになって、私が神経質な様子をするのを見てとると、自分の分まで少しわけてくれた。

私が彼を家へ送りとどけて、別れを告げ、タクシーに乗って製材所へもどってきたとき、妻に会ってとても嬉しかった。二人でクロズリ・デ・リラへ行き、一杯やった。別れ別れになっていた子供同士が、再びいっしょになったような具合に、私たちは楽しかった。私は彼女に旅行の話をした。

「でも、ちっとも面白いことも、教わったこともなかったの、タティ？」と彼女は聞いた。

「あまり身を入れて聞かなかったようだが、マイクル・アーレンのことを一応知ったし、ぼくが今まで特にえり出してみなかったことを教わったよ」

「スコットの方は、少しは楽しんだの？」

「たぶんね」

「かわいそうに」

「ぼくの教わったことが一つあるよ」

「なに?」

「好きでもない人とは、決していっしょに旅するな、ってこと」

「それ、いいわね」

「そうだ。で、ぼくたちはスペインへ行くんだ」

「そうよ。行くまでにもう六週間足らずだわ。今年は、だれにもじゃまさせないわね?」

「させないさ。そして、パムプローナのあとマドリッドへ行き、それからヴァレンシアだ」

「むーむーむーむ」と彼女は猫のようにやさしい声を出した。

「かわいそうなスコット」と私。

「かわいそうな皆さん」とハドリーは言った。「お金のないぜいたく文士よ」

「ぼくたちは、全く幸運だね」

「あたしたち、心のもち方をよくして、運をにぎっていなくちゃ」

私たち二人は、おまじないにカフェのテーブルの木の部分にさわった。すると、ウェイターが、何か入用かと聞きにやって来た。しかし、私たちがほしかったものを手に入れるには、彼も、そのほかのだれも、また、木をたたくことも、大理石をたたくことも

（このカフェのテーブルは大理石の板をかぶせてあった）とうてい、役に立たなかったのだ。でも、私たちはその晩そのことを知らなかった。そして、たいへん楽しかった。

旅行のあと、一両日して、スコットが彼の本をもってきた。それにはけばけばしいカヴァーがつけてあり、そのどぎついこと、悪趣味なこと、てかてかした外観を見て、私はまごついたことを覚えている。くだらない科学小説の本に向くようなカヴァーであった。スコットは私に、それを気にしないでくれと言い、それは、ロング・アイランド〔ニューヨーク州南東部の島〕のハイウェイに沿って立っている掲示板と関係があり、この物語の中で大切な役割をもっているのだ、と言った。彼は初めそのカヴァーが好きだったが、今は気に入らなくなった、と言う。私はその本を読むために、カヴァーを取りはずした。

その本を読み終ったとき、私にわかったことは、スコットが何をしようが、どんなふるまいをしようが、それはまあ病気のようなものだと理解し、自分なりにできるだけ彼につくしてやり、良い友だちになってやらねばならぬ、ということだった。彼はたくさんのとても良い友だちをもっていた。私の知人のうちのだれよりも恵まれていた。けれど、私も、彼に役立とうが役立つまいが、さらにもう一人の友人として志願した。もし彼に「偉大なギャツビー」くらいすぐれた本が書けるのなら、それよりも良い本だって書けるにちがいないと思った。私はまだゼルダを知らなかった。だから、スコットがどんな不利な条件を背負っているかがわからなかったのだ。でも、私たちはやがて、それがわかることになった。

鷹は与えず *Hawks Do Not Share*

スコット・フィッツジェラルドは、ティルシット街十四番地に借りていた家具つきアパートで、彼の妻ゼルダと小さな娘といっしょに昼食をするように、私たちを招いてくれた。そのアパートのことはあまり思い出せないが、ただ覚えているのは、そこがうす暗く、空気の流通が悪かったこと、うす青の革で装幀され、題目が金色になっているスコットの処女作の本いく冊か以外は、その部屋には、かれらの所有しているものは、何もなさそうに見えたことだ。スコットはまた、今までに発表したすべてのストーリーを年ごとのリストにして記入した大きな台帳を、私たちに見せてくれた。それには、それらのストーリーに対して受取った金額や、また映画化代や、著書の売行きや印税のことものせてあった。それらはすべて、航海日誌のように注意深く記入されていて、スコットはまるで博物館の館長みたいに、第三者的な誇りをもって、それらを私たちに見せるのだった。スコットは神経質で、何くれとなく私たちをもてなし、彼のもうけの記録を、まるでそれが景色ででもあるかのように、私たちに見せたのである。事実、その部屋からは見渡すべき景色もなかったのだ。

ゼルダは、とてもひどい二日酔いをする人であった。スコット夫婦は、その前の晩モンマルトルへ行っていたが、スコットは自分が酔っぱらうのを好まなかったために、二人はけんかをしたのだった。スコットの方は、仕事に精出して、酒を飲まぬ決心をしたのだ、と私に言った。するとゼルダは、彼をまるで興ざましか、遊びのじゃま者のように扱っていた。そういう二通りの呼び方を、彼女は彼に向って用いたのである。そしてお互いに責め合い、それからゼルダはこう言うのだった。「あたし、しなかったわ。そんなことしなかったわよ。そりゃ嘘よ、スコット」あとになって、彼女は何かを思い出すらしく、楽しげに笑ったりするのだった。

この日、ゼルダは、最上の状態には見えなかった。美しい濃いブロンドは、彼女がリヨンでかけたという下手なパーマネントのために、台なしになっていた。それは、雨のために二人が車を放棄したときのことだ。彼女の目は疲れ、顔はこわばって、引きつったみたいだった。

彼女は、形式的には、ハドリーと私に対して愛想よくした。けれど、彼女の心の大部分はそこにはなく、彼女がその日、朝帰りしたパーティに未練をもっているようだった。彼女とスコットは二人共、スコットと私のリヨン旅行がすばらしく楽しいものだったと思いこんでいるようで、彼女はそれを嫉妬しているのだった。

「あなた方二人がいっしょに出かけて、そんな本当に楽しい思いをするんだったら、あたしだって、ここパリで、仲好しの友だちとちょっとぐらい面白い目をしたって、何の不公平もないと思うわ」と彼女はスコットに言った。

スコットは、申し分のないあるじ役をつとめていたが、私たちはとてもまずい昼食をした。ぶどう酒がわずかに気分を明るくしたが、それも大して役に立たなかった。小さい娘はブロンドで、ぽちゃぽちゃした顔をしていた。体つきもしっかりし、とても健康に見え、ひどいロンドンなまりの英語をしゃべった。スコットの説明したところでは、彼女が大きくなったら、レイディ・ダイアナ・マナーズ〔マックス・ラインハルトの「奇蹟」でマドンナの役を演じた一八九二年生れのイギリス女優〕のように話せるようにしたいので、子供にイギリス人の乳母をつけたのだとのこと。

ゼルダは鷹のような目と、うすい唇と、アメリカの深奥南部に見られる立居ふるまいやアクセントを持っていた。彼女の顔をじっと見ていると、彼女の心が食卓を離れて、夜のパーティに出かけ、目を猫の目のようにうつろにして帰り、それから、満足し、その満足が、彼女の唇のうすい線に沿ってあらわれ、それから消え去るのがわかるのだった。スコットは、良い、快活なあるじ役をつとめていた。ゼルダは彼を見て、彼がぶどう酒を飲むと、目と口で楽しそうに微笑した。私はその微笑がたいへんよくわかるようになった。それは、スコットがもう書けなくなることを、彼女が知っている、という意味の微笑だった。

ゼルダは、スコットの仕事に対して嫉妬した。私たちがスコット夫妻を知るようになったころ、それは、規則的な一つの型になった。スコットは、夜通しの酒盛りには行かないで、毎日適度の運動をし、規則正しく仕事をしようと決心する。彼が仕事を始め、油がのってきたとたん、ゼルダは、とても退屈でたまらないと文句を言い始め、もう一つの酒のパーティへ彼を引っぱり出す。二人はけんかし、それから仲直りし、スコットは私といっしょに長距離散歩をして、アルコールを汗にして出してしまう。そして今度こそは本当に仕事をするんだと決心し、初めはうまくすべり出す。それからまた同じことが始まるのだ。

スコットは非常にゼルダを愛していた。そして非常に彼女のことで嫉妬した。私たちが散歩中にも、彼は、ゼルダがフランスの海軍の操縦士と恋に落ちたことの次第を何度もくり返して話した。しかし、それ以後、彼女は、他の男のことで、彼を本当に嫉妬させたことは一度もなかった。今年の春、彼女は、他の女たちのことで、彼を嫉妬させていた。そして、モンマルトルのパーティでは、彼は酔いつぶれるのを恐れ、彼女に酔いつぶれられることをも恐れた。酒を飲んだときに意識を失うことは、いつも彼らの大きな安全弁となっていた。飲酒に慣れている人に対してはあまり作用しないくらいの量の酒とかシャンペーンを飲んだあと、たちまち、彼らは眠り込んだ。しかも、子供のように眠りに落ちるのだった。私は彼らが、酔っぱらったように無意識になるのではなく、まるで麻酔させられたように、気を失うのを見たことがある。すると、彼らの友だちが、あるいは時にはタクシーの運転手が、彼らを寝床につれて行くのであった。彼らは気を失う前に、体をこわすほどアルコールをとっているわけではないから、目がさめると、爽快で楽しい気がするのだった。

ところが今や彼らは、この生れつきの安全弁を失ってしまった。そのころは、ゼルダはスコット以上に飲めるようになっていた。そしてスコットは、その春、二人の加わる集りで、または、彼らの出先で、彼女が酔いつぶれはしないかと心配していた。スコットは、そういう場所も嫌いだし、そこの人びとも嫌いだった。そして、飲める以上の酒を飲まねばならず、しかもちゃんと自己を抑制し、人びとや場所に堪えねばならなかった。それから、通例酔いつぶれてしまうようなときに、目をさましているために、また飲むことが必要になってきた。とうとう、仕事をする間がほとんどなくなってしまった。

彼はいつも、仕事をしようと努めていた。毎日試みては失敗するのだった。彼はその失敗をパリのせいにした。ところがパリこそ、ありとあらゆる町の中で、作家が仕事をするのに最適の町なのだ。スコットは、自分とゼルダが再びいっしょに良い生活のできる場所がどこかにあるにちがいないと、いつも考えていた。彼は、まだ今のように出来上る前の、当時のリヴィエラのことを考えた。そこには、青い海と砂浜とが美しくひろがり、松林がずっと伸び、エステレル〔南仏の山岳地帯〕の山々が、海の中へと突き出しているのだ。スコットは、人びとが夏そこへ出かけるようになる前に、自分とゼルダが初めて見たままのリヴィエラを思い出していた。

スコットは、私にリヴィエラのことを語った。私が妻といっしょに、翌夏ぜひそこへ来るように、私たちがそこへ到着する経路はどうするか、また彼が私たちのためにあまり高くない場所を見つけておくから、いっしょに毎日うんと仕事をし、泳ぎ、浜辺にねそべり、茶褐色になるのだ、と。それから、昼食前には食前酒（アペリチフ）を一杯だけ、晩飯前にも一杯だけにとどめておくのだ、とも。そこへ行けばゼルダは楽しがるだろうな、と彼は言った。彼女は泳ぎが大好きで、すばらしいダイバーだし、そういう生活を楽しむことはわかっている。彼女は、彼が仕事をするのを希望し、万事はきちんと規制されるだろう。彼とゼルダと娘とは、その夏はそこへ行くつもりだ、と言う。

私は、彼が最善をつくしてストーリーを書くようにすすめ、彼がやっていると前に説明したことがあるような具合に、型にはめて、ごまかしのストーリーを作ることをやめるように、しむけていた。

「きみはもうりっぱな小説を一つ書いたんだ」と私は彼に言った。「だから、もう安っぽいものを書いちゃいかんよ」

「あの小説は売れないんだ」と彼は言った。「ぼくはストーリーを書かなくちゃならない。しかも、売れるストーリーをね」

「きみのできる最上のストーリーを書きたまえ。しかもできるだけストレートに書くんだ」

「そうしよう」と彼は言った。

しかし、事のなりゆきから言って、彼にとって少しでも仕事ができればいい方だった。ゼルダは、彼女を追っかけまわす連中をけしかけるようなことをせず、彼らとは何の関係もない、と言った。でも、そういうことは彼女を面白がらせ、スコットを嫉妬させた。彼は、彼女といろんな所へ同道しなければならなかった。それは彼の仕事を破壊した。彼女は、何ものよりも、彼の仕事に対して嫉妬心をもった。

その晩春から初夏の間ずっと、スコットは仕事をしようと奮闘した。しかし彼はちょいちょいと断続的にしか仕事ができなかった。私が彼に会ったときは、彼はいつも快活で、時にはやけくそみたいに快活で、面白い冗談を言い、友だちつき合いもよかった。彼が非常に不如意な状態にあるときは、私はその事情を聞いてやり、もししっかり自分を守ってゆけば、天賦の創作の才能を発揮できるし、どうにもならない死ということを除けば、こわいものなしだ、ということを彼に言ってきかせたのであった。そうすると、彼はみずからを茶化したようなことを言うのだったが、そういう態度をとれる限り、彼は大丈夫だと私は思った。こういうすったもんだの間で、彼は「金持の若者」という一つの良いストーリーを書いた。私は彼がそれ以上の作品を書けるだろうと確信していたが、後になってその通りのことを彼はした。

夏の間、私たちはスペインにいた。私は一つの小説のはじめの原稿を書き始め、九月にパリへ帰ってそれを書き終えた。スコットとゼルダはずっと、カップ・ダンティブ〔南仏の岬の名〕にいた。その秋に私がパリで彼に会ったとき、彼はとても変っていた。彼はリヴィエラでは、ちっとも素面にならなかったようで、今は、夜だけでなく昼も、酒に酔っぱらっていた。人が仕事をしていようがいまいが、もはやどうでもよく、昼でも夜でも酔っぱらっているときはいつも、ノートルダム・デ・シャン街一一三番地へやってくるのだった。彼は自分の目下の人とか、目下だと考える人に対して、極めて乱暴な態度をとるようになっていた。

あるとき彼は、小さい娘をつれて、製材所の門を通って入って来た。——それはイギリス人の乳母の休みの日で、スコットは子供の世話をしていたのだ——そして階段の下のところで、娘はトイレへ行きたいと言った。スコットは彼女の服を脱がせ始めた。すると私たちの下の階に住んでいた家主が入って来て言った。「旦那(ムッシュー)、すぐその前の、階段の左手に、手洗がありますよ」

「わかったよ。お前の頭もそこへ押し込んでやるから、気をつけろよ」とスコットは彼に言った。

その秋の間中、スコットはとても気むずかしかった。しかし、素面のとき、一つの小説を書き始めていた。素面のときの彼を見ることはめったになかったけれど、素面でいると、彼は常に気持がよく、やはり冗談を言い、時には自分を茶化したようなことも相変らず言った。ところが酔っぱらうと、よく私をさがしに来て、酔いにまかせて、私の仕事のじゃまをして喜ぶのだった。ちょうど、ゼルダが彼の仕事をじゃまして喜ぶのと似通っていた。こういうことが何年もつづいたが、その何年もの間、素面のときのスコットほど忠実な友を私がもたなかったことも事実である。

一九二五年秋、彼は、私が「日はまた昇る」の最初の原稿を見せようとしなかったために、気分を乱された。私は、その原稿を読み返して書きなおすまでは、それは無意味なものだし、それについて議論したり、それをまっ先に人に見せたりするのは気が進まない、ということを彼に説明した。私たちはオーストリアのフォラールベルクにあるシュルンズへ、初雪の訪れと同時に、行くことにしていた。

そこで、私は原稿の前半の書きなおしをし、それを一月に完成したように思う。私はそれをニューヨークへ持参し、スクリブナーズ社のマックス・パーキンズに見せ、それからシュルンズへもどり、その作品の書きなおしを終了した。その完全に書きなおされ手を入れられた原稿が、四月末にスクリブナーズへ送られてしまったあとまで、スコットはそれを見なかったわけである。私はそのことで、彼と冗談を言い合ったこと、また、例の如く、事が終ってから彼が心配し助力したがっていたことを思い出した。でも私は、書きなおしている最中は、彼の助力を望まなかったのだ。

私たちがフォラールベルクに住み、私がその小説の書きなおしをしている間、スコットとその妻と子供はパリを去って、低ピレネ地方の湯治場へ出かけた。ゼルダは、いつもの腸の痛みで、具合がわるかったのだが、それはシャンペーンの飲み過ぎで起ったもので、そのときは大腸炎と診断されていた。スコットは酒を飲まず、仕事を始めていて、六月になったら、私たちにジュアン・レ・パンへ来てほしいと言っていた。私たちのために、安い別荘をさがしてくれるとのことで、今度は、彼は酒を飲まぬし、昔の良い時代のように、いっしょに泳ぎ、健康で茶褐色になり、昼食前と夕食前に、食前酒（アペリチフ）を一杯ずつ飲もう、と言ってきた。ゼルダはまた快くなり、二人とも元気で、彼の小説も非常に順調に進んでいる。「偉大なギャツビー」が芝居になり、興行もうまく行っていて、その収入があるし、それがまた映画にもなりそうだし、もう心配はない。ゼルダは、全く元気で、万事はこれからきちんとしてゆくだろう、とのことだった。

五月に私はひとりで仕事をしながら、マドリッドにいた。次いで、汽車でバイヨンヌ〔フランス南西部の海港〕からジュアン・レ・パンへやって来た。三等車に乗り、腹ぺこだった。というのは、ばかなことだが、金を使い果たし、フランス・スペイン国境のアーンダイで食事をしたのが最後だった。ついてみると、なかなか良い別荘で、そこからあまり遠くないところに、スコットはとてもりっぱな家を借りていた。私は、別荘をうまく切り回している妻、それに友人たちに会って、たいへん嬉しかった。昼食前の一杯の食前酒がとても旨かったので、私たちは数杯お代りをした。その晩は、カジノで、私たちの歓迎パーティがあった。ほんのちょっとしたパーティで、マクリーシュ夫妻、マーフィ夫妻、フィッツジェラルド夫妻、それに別荘住いの私たち、というわけである。だれも、シャンペーンより強い酒は飲まず、そこはたいへん陽気で、創作するにはたしかにすばらしい場所であった。人が創作をするのに必要なものは、孤独ということを除けば、何でもあった。

ゼルダはたいへん美しく、きれいな金色に日焼けしていた。彼女の髪は、美しい濃い金色で、また、彼女はとても親しげであった。彼女の鷹の目は、澄んでいて静かだった。私は、万事うまく行っていて、しまいには良い結果になると思った。そのときに、彼女は前の方へ身をかがめて、私に言った。私に彼女の大きな秘密を語りながら。「アーネスト、アル・ジョールソン〔アメリカの俳優・ジャズ歌手。一八八六―一九五〇〕の方がキリストより偉いと思わない?」

そのときは、そのことを、だれも何とも思わなかった。ゼルダが私に分けてくれたのは、ただ、彼女の秘密であった。ちょうど、一羽の鷹が、人間に何かを分け与えるように。けれど鷹というものは、物を分けはしない。スコットは、もはや、彼女の狂気を知ったあとまで、何ら良いものを書かなかった。

寸法の問題　*A Matter of Measurements*

ずっと後、ゼルダが、当時のいわゆる神経衰弱というものにかかったころ、ちょうど同じときに私たちはパリに居あわせたのだが、スコットは、ジャコブ通りと、サン・ペール通りの交差点にあるミショーのレストランで、いっしょに昼食を食べようと、私を誘った。彼は、この世の何ものよりも彼にとって重要な意味をもつ一事について、私にたずねたいというのであった。そして、私がその質問には、絶対に真実を答えなければならない、と言う。私は、できるだけのことはする、と言った。ふだん、彼が、あることについて、絶対に真実を答えてくれ——そうすることはたいへんむずかしいのだが——と私にたのみ、私がそのように努めた場合、私が何か言うと、通例、彼を怒らせてしまうのだった。私が言ったときすぐにではなく、あとになってからのことが多く、時には、ずっと後になって、彼が私の言葉をゆっくり考えてみたあげく、怒ることもあった。私の言葉は破壊されねばならぬものになり、時によると、可能なら、私の言葉を、本人の私と共に破壊しなければならぬ、という気を起させるのだった。

昼食の席で、彼はぶどう酒を飲んだが、ちっとも酔わず、それに、昼食に備えて食前に飲んでくるということもしていなかった。私たちは、自分の仕事の話や、人のうわさ話をしたが、やがて彼は、私たちが近ごろ会っていない人たちのことを、私に聞いた。私は、スコットが何か良い作品を書いていること、そして、そのことで、いろんな理由のため、非常な苦労をしていることを知っていた。しかし、それは、彼が話したいことではなかった。それを言い出すのを、私は待ちつづけた。私が絶対に真実を答えなければならないその問いを。けれど彼は、食事の終りまでそれを持ち出そうとはしない。まるで二人で商談のための昼食をしているようなあんばいであった。

おしまいに私たちがさくらんぼ入りのパイを食べ、最後の水さし入りのぶどう酒を飲んでいたとき、彼は言った。「きみ、知ってるかね。ぼくはゼルダ以外の人と寝たことはないんだよ」

「いや、知らなかった」

「きみに話したと思ったが」

「いや。きみは、ぼくにたくさんのことをしゃべったが、それはまだだ」

「ぼくがきみに聞かなくちゃならぬのは、それについてのことだ」

「けっこうだ。つづけてくれ」

「ゼルダは、ぼくのような体つきでは、決して女性を幸福にできないし、それで彼女は初めからまごついてしまったのだ、と言う。彼女は、それが寸法の問題だと言うんだ。それを聞いてからというもの、ぼくの気持は変ってしまった。で、ぼくは本当のことが知りたいのだ」

「オフィスへ来たまえ」と私は言った。

「オフィスってどこだ？」

「手洗い(ル・ヴァテール)だ」と私。

私たちは室へもどって、テーブルに腰をおろした。

「きみは、完全にりっぱだ」と私は言った。「きみは、オー・ケーだ、何も故障はない。きみは、上から見おろすから、先が小さく見えるんだ。ルーブル博物館へ行って、立像の人間を見て来いよ。それから、家へもどって、鏡で自分のを横から見てみろ」

「ああいう立像は正確じゃないかもしれない」

「相当うまく出来ているよ。たいていの人はそれでいいと思っているわけさ」

「でも、なぜ彼女はあんなことを言ったんだろう？」

「きみを物の用に立たなくするためさ。人を物の用に立たなくする方面じゃ、一番古くからある手さ。スコット、きみはぼくに、本当のことを話してくれと言った。ぼくはもっともっといろんなことをきみに話せるけれど、今言ったことは絶対の真実だし、きみの必要なのはこれだけだ。きみは医者に見てもらってもよかったのだ」

「そうしたくなかったんだ。きみに本当のことを言ってもらいたかったんだ」

「さあ、きみはぼくの言ったことを信ずるかい？」

「わからん」と彼は言った。

「ルーヴルへ行こう」と私は言った。「ちょっと通りを歩いて行って、河を渡ればいいんじゃないか」

私たちはルーヴルへ行った。彼は立像を見つめたが、それでもまだ自分の体に疑いをもっているようだった。

「それは、基本的に言えば、休んでいるときのサイズの問題じゃないんだ」と私は言った。「問題は、どのくらい大きくなるかだ。また、角度の問題でもある」私は彼に、枕を使うこととか、彼が知っていて役に立ちそうな他の二、三のことを説明した。

「一人、女の子がいて」と彼は言った。「ぼくにとてもやさしくしてくれているんだ。でも、ゼルダがあんなことを言ったあとでは――」

「ゼルダの言ったことなんか忘れてしまえよ」と私は彼に言った。「ゼルダは気が変なのだ。きみには何の故障もない。自信をもって、女の子がしてほしいことをしてやれよ。ゼルダはただ、きみを破壊したいのさ」

「きみはゼルダのことを何も知らないくせに」

「じゃ、いい」と私は言った。「話はそのくらいにしておこう。だが、きみは、ぼくに質問するために昼食に来た。で、ぼくは、きみに正直な返事をするように努めたんだ」

しかし、それでもまだ、彼は、はっきりしないようだった。

「絵を見に行った方がいいのかね？」と私は聞いた。「ここで、モナ・リザ以外のものを何か見たことがあるのかね？」

「今は、絵を見る気分になっていないね」と彼は言った。「ぼくはリッツ・バーで人に会う約束があるんだ」

何年もたった後、リッツ・バーで、第二次大戦後ずっとあとのことだが、スコットがパリにいたころは給仕（シャサール）で今はバーの主任になっているジョルジュが、私に聞いた。「パパ、このフィッツジェラルドという旦那はだれのことですかね？　その旦那のことを、皆に聞かれるんですよ」

「きみは、あの人を知らなかったかな？」

「知りませんな。あのころの人は皆覚えているんですがね。でも、今は、あの旦那のことしか、あっしに聞きませんや」

「きみは、どう答えるんだい？」

「皆が聞きたがるような面白いことを何でも言いますわ。皆の喜ぶことを。だが、ね、その旦那はだれですかい？」

「一九二〇年代の初めのころのアメリカの作家だよ。あとで、パリや外国にしばらく住んでいたんだ」

「だが、どうして、あっしはその旦那のことを覚えていないんだろう？　良い作家でしたかね？」

「とても良い本を二つ書いたが、あと一つは、仕上がらなかった。彼の作品を一番良く知っている連中は、それがきっと非常に良いものになっただろうと言っている。そのほか、良い短篇をいくつか書いているね」

「その旦那は、バーによく来られたのかね？」

「そう思うね」

「けれど、あんたは、一九二〇年代の初めには、あまりバーへは来られなかったね。あんたはそのころ貧乏で、違う界隈に住んでいたのを知ってますよ」

「ぼくは金のあるときは、クリヨンへ行ったよ」

「それも知ってますよ。あんたに初めてお会いしたときのこたあ、よく覚えてますぜ」

「ぼくもだ」

「例の旦那のことを覚えていないのは、不思議だな」とジョルジュは言った。

「あのときの連中は、皆死んでしまった」

「でも、人が死んだからって、忘れるもんじゃありませんぜ。それに、皆、あの旦那のことをしょっちゅう聞きにくる。あっしのメモにひかえておくことにしますから、あの旦那のことを、いくらか、あんたに話してもらわにゃ」

「そうしよう」

「あっしは、あんたと、フォン・ブリクセン男爵が、ある晩来たことを覚えているけど――あれは何年でしたかな？」彼は微笑した。

「あの人も死んだよ」

「さよう。だが、皆はあの人のこたぁ忘れませんや。あっしの言う意味はおわかりかね？」

「あの人の最初の奥さんは、いいものを書いたね」と私は言った。「ぼくが読んだ中では、たしかに一番すぐれたアフリカの本を書いたよ。アビシニアにあるナイル河の支流についてのサミュエル・ベイカー卿の本を除いてはね。そのことを、きみのメモにとっておきたまえ。今、きみは作家に興味をもっているんだからね」

「けっこうだ」とジョルジュは言った。「あの男爵は、忘れられるような人じゃありませんな。で、その本の名は？」

「『アフリカから』だ」と私は言った。「ブリッキーはいつも、最初の奥さんの書いたものを自慢にしていたね。だがぼくたちは、彼女がその本を書くずっと前から、お互いに知り合いだった」

「でも、皆があっしに、しょっちゅう聞くこのフィッツジェラルドの旦那というのは？」

「彼は、フランクのいたころの客だ」

「ええ。でも、あっしは給仕（シャサール）でした。あんたは、給仕（シャサール）って何か、御存知だね？」

「ぼくは、パリでの若いころのことを書く本の中で、彼のことを何か書くつもりだ。それを書こうと、自分に約束したんだ」

「けっこうだ」とジョルジュ。

「ぼくは、彼に会った最初のときの彼の姿を思い浮べて、それとそっくりの彼を、本の中で描くよ」

「けっこうだ」とジョルジュは言った。「それじゃ、もしその旦那がここへ来たんだったら、その人のことは思い出すだろうよ。けっきょく、人のことは忘れないもんだからね」

「旅行者でもそうかね？」

「もちろんでさ。でも、あんたは、その旦那がここへよく来たと、言うんでしょう？」

「そのことは、彼には重大な意味があったのだ」

「あんた、その人のことを、覚えている通りに書いてください。それで、もしその旦那がここへ来たんだったら、あっしはその人のことを思い出しますわい」

「まあ、やってみるさ」と私は言った。

パリに終りなし　*There Is Never Any End to Paris*

ただの二人暮しでなく、三人だと、冬には寒さと天気がついに私たちをパリから追い出すことになるのだ。一人だったら、慣れてしまえば問題がない。私はいつだって、ものを書くためにカフェへ行き、一杯のミルク入りコーヒーを相手に、午前中ずっと仕事ができる。その間に、ウェイターたちはカフェを清掃し、だんだんあたたかくなってくるのだ。私の妻は、寒い所へでもピアノの仕事に行き、弾いているときもセーターを十分に重ねて体を暖かくし、家へ帰ってバンビーの世話をするわけだ。でも、冬、赤ん坊をカフェへ連れてゆくのはいけないことだ。一度も泣いたりせず、いろんなことの起るのをじっと見ていて、決して退屈しない赤ん坊だって、いけないんだ。その頃は、子守りがなく、バンビーは、背の高い囲いベッドの中で、F・プスという名前の大きな可愛い猫といっしょに楽しくしていた。猫を赤ん坊といっしょにしておくのは危険だという人びともいる。最も無知で偏見をもっている人たちは、猫が、赤ん坊の息を吸い込んで死なせてしまう、と言った。他の連中は、猫が赤ん坊の上に横になり、猫の重さで赤ん坊の息がつまってしまう、と言う。F・プスは、背の高い囲いベッドの中でバンビーのそばに横になり、彼の大きな黄色い目でドアを見張っていて、私たちが外出し、家政婦(ファム・ド・メナージ)のマリーが留守にしなければならぬときは、だれをも赤ん坊に近づかせないのだ。子守りの必要はちっともなかった。F・プスが子守りだった。けれど、人が貧乏なとき、そしてこの私たちときたら、カナダから帰って私が新聞記者の仕事を止め、しかもストーリーが少しも売れなかった頃は、ひどい貧乏だったが、そういうときは、冬のパリは、赤ん坊にとっても難儀(なんぎ)だった。生後三ヵ月で、バンビーくんは一月に、ニューヨークからハリファックス〔カナダ南東部の不凍港〕経由で出航したキューナード汽船会社の小さな船で、十二日間の北大西洋横断をしたのだった。その旅行中、彼は一度も泣かず、悪天候のとき、彼が落ちないように寝棚の中でかこいをされるようなときも、嬉しそうににこにこしていた。しかし、私たちのパリは、彼にとっては寒すぎたのである。

私たちは、オーストリアのフォラールベルク地方のシュルンズへ行った。スイスを通過すると、フェルトキルヒというところで、オーストリアの国境に達する。汽車はリヒテンシュタインを通って走り、ブルーデンツで止った。そこには小さな支線があり、小石の多いマスのいる河に沿って走り、農場や森林のある谷を越して行くと、シュルンズに達するのだ。そこは、日光に恵まれた、市(いち)の開かれる町で、製材所や、店や、旅館や、一年中営業しているタウベという良いホテルがあり、私たちはそこで暮した。

タウベの部屋は広くて快適だった。大きなストーヴ、大きな窓、それに、良い毛布と羽根の掛けぶとんがあった。食事は簡単でおいしく、食堂と、外部の客も来る板張りのバーは、よくあたためられていて、なごやかだった。谷は広く開けていたので、太陽光線にも恵まれていた。下宿代は、私たち三人で一日二ドルくらい、しかもオーストリアのシリングがインフレのために下落していたので、私たちの部屋代や食事代は、しょっちゅう安くなってゆくわけだった。そこには、ドイツにあったほどのめちゃくちゃなインフレや窮乏はなかった。シリングは上下したが、長い目で見ると下降していた。

シュルンズからは、スキー・リフトがなく、ケーブル・カーもなかった。けれど、材木運搬道や家畜を連れて通る小路があり、いろんな山間の谷から高い山地へと通じていた。人はスキーを抱えて徒歩で登り、上の方で、雪が深すぎる所では、スキーの底にあざらしの皮をつけて、登って行くのだった。山の谷の一番高いところには、夏の登山者のためのアルパイン・クラブの大きな山小屋があり、そこで眠ったあと、使用した薪の代金を置いて出て行くのだった。ある小屋では、自分で薪を集めねばならなかったし、高山や氷河の間へ長いツアーに行くのだったら、いっしょに薪や糧食を運ぶ人をやとい、ベースを設営するのだった。これらの高地のベースになる山小屋の中で最も有名なものは、リンダウアー・ヒュッテ、マドレーナー・ハウス、それにヴィーズバードナー・ヒュッテであった。

タウベのうしろには、果樹園や畑を通って走れる練習スロープのようなものがあったし、谷の向う側、チャグンズのうしろには、もう一つの良いスロープがあった。そこには美しい旅館があり、喫茶室の壁にはかもしかの角のすばらしいコレクションがあった。谷の向うのはしにある、製材の村チャグンズのうしろから、良いスキー場がずっと上へのびていて、それを上ると、ついには山越えして、シルヴレッタを横切り、クロスターズ地方へ入ることになる。

シュルンズは、バンビーにとって、健康地であった。黒髪の美しい少女がいて、彼を橇（そり）にのせて日向へつれ出し、いろいろ世話をしてくれた。ハドリーと私には、この新しい地方や新しい村々を知るという楽しみがあったし、町の人たちはたいへん愛想がよかった。ヴァルター・レント氏は、高山スキーの先駆者であり、かつては、偉大なアールベルク〔オーストリア西部アルプスの険路〕のスキーヤーのハンネス・シュナイダーと共同して、登山とあらゆる雪の条件に応ずるスキー・ワックスを作ったことのある人だが、彼は、アルプス・スキーのための学校を始めようとしていた。私たちは二人とも、入学の登録をした。ヴァルター・レントのやり方というのは、生徒をできるだけ早く練習用スロープへ出してやり、また高山へツアーに出すことだった。スキーは今のような状態ではなかった。捻挫ということは、当時はまだ、ありふれたものになっていなかったし、脚の骨折など高くついて、皆からいやがられた。スキー・パトロールもなかった。すべり下りたら、それだけ自力でまた上らねばならなかった。そのためかえって、脚ならしになって、下降のときうまくいった。

ヴァルター・レントは、スキーの面白さというものは、だれ一人いない未踏の雪におおわれた高い山地に上って、高所にあるアルパイン・クラブの一つの小屋から他の小屋へと、アルプスの屋根や氷河づたいに行くことだ、と信じていた。ころんだときに、脚を折ることのないよう、留金(ビンディング)は使ってはいけない。スキーは、彼の説では、脚を折る前に、すぐ外れるのがよい。彼が本当に好んだのは、ロープを使わずに氷河スキーをすることだったが、そのためには、クレヴァスが十分ふさがる春まで待たねばならなかった。

ハドリーと私は、スイスで初めてスキーを試み、あと、ドロミテ〔イタリア北東部の山脈〕のコルチナ・ダンペッツォでやってから、スキーが好きになっていた。コルチナ・ダンペッツォのときは、ちょうどバンビーが生れる前で、ミラノの医者は、妻がひっくり返ったりしないと私が約束するならスキーを続けてもいいと、彼女に許可を与えたのだった。そのため、地形や滑降路を注意してえらばねばならず、滑ることにも絶対のコントロールを必要とした。しかし、彼女は、美しい、すばらしく強い脚をし、スキーさばきも上手で、倒れたりしなかった。私たちは皆、いろんな雪の状態を知っていたし、だれでも深い粉雪の中で滑る方法を心得ていた。

私たちは、フォラールルベルクが気に入り、シュルンズも気に入った。感謝祭のころそこへ出かけ、復活祭近くまで滞在することもあった。雪の多い冬だとよかったけれど、シュルンズは、スキー場としては場所が少し低すぎた。それにもかかわらず、いつもスキー客でにぎわっていた。でも、山登りも面白く、当時は、だれでも平気で山登りをした。自分が登れるスピードをだいぶ下まわる歩調をきめておくと、登るのもらくで、気分もさわやかであり、自分の重いリュックサックも自慢の種になる。マドレーナー・ハウスへ登る途中の一部はけわしく、非常に難儀だった。けれど二度目に登るときは、前より容易となり、しまいには初め運んだ重さの二倍の荷物をもっても、苦もなく登れるようになった。

私たちはしょっちゅう空腹で、食事時というのはいつも大事件だった。軽いビールとか黒ビールを飲み、新しいぶどう酒、時には一年たったぶどう酒を飲んだ。白ぶどう酒が一番良かった。他の飲物としては、その谷で作られる桜桃酒（キルシュ）と、山のりんどうから蒸溜されるエンチアン・シュナップスがあった。晩餐には、つぼで蒸し煮にしたうさぎ肉が、こくのある赤ぶどう酒のソースをかけて出されることが時々あり、また時には、鹿の肉が、栗のソースをかけて出された。私たちは、これらのものといっしょに、赤ぶどう酒を飲んだ。それは白ぶどう酒よりも高く、最上のものは、一リットル二十セントもした。ふつうの赤ぶどう酒はずっと安く、私たちはそれを小樽に入れて、マドレーナー・ハウスへ運んだ。

私たちは、シルヴィア・ビーチが、ひと冬貸出してくれた本をたくさん持っていた。また、私たちは、ホテルの夏の庭に通じる小路で、町の人たちと木球あそびをすることもできた。一週一、二度、ホテルの食堂で、窓のよろい戸を全部おろし、ドアに錠をかけて、ポーカーのゲームをすることもあった。当時、オーストリアでは、賭博が禁じられていたのだ。私はネルス氏、ホテルの主人、アルプス・スキー学校のレント氏、町の銀行家、検事、憲兵隊長らとやった。なかなか緊張したゲームで、レント氏を除いて、皆名手ぞろいだった。レント氏だけが荒っぽいやり方をしていたが、それは、スキー学校がちっとも黒字になっていなかったからだ。憲兵隊長は、二人一組の憲兵が巡回をしながらドアの外に立止る音が聞えるたびに、指を耳にあてるのだった。すると私たちも、憲兵たちが先へ行ってしまうまで、静かにしていた。

朝の寒さの中で、空が明るくなるとすぐ、女中が部屋へ入ってきて、窓をしめ、大きな磁器製のストーヴに火を燃してくれる。それから、部屋があたたかくなると、新しいパンやトーストと、旨い果実ジャム、大きい茶碗に入ったコーヒー、それに、もしほしければ、新鮮な卵とおいしいハム、という朝食が出た。シュナウツという名前の犬が一匹いて、ベッドの足もとに眠ったが、この犬はスキー・ツアーに行くことを好み、私が丘をすべり降りるとき私の背中や肩に乗りたがった。彼はバンビーくんの友人でもあり、同くんとその子守りといっしょに、小さなそりのわきについて、散歩にも出かけるのだった。

シュルンズは、仕事をするのに良い場所であった。今までやった中で一番むずかしい書きなおしの仕事をそこでしたから、私にはよくわかるのだ。それは一九二五年から一九二六年にかけての冬で、そのころ、私は六週間で一気呵成（かせい）に書いておいた「日はまた昇る」の最初の原稿をとり上げて、それをちゃんとした小説にしなければならなかったのである。その中にどんなストーリーを書いたかは思い出せない。けれど、うまい出来栄えを示すことになったいくつかのものが、入っていたはずだ。

私たちが、スキーやスキー竿を肩にかついで家路をたどるとき、村へ通ずる道の雪が、夜の闇の中でぎしぎし音を立てたのを思い出す。向うの方に点々と見えるともしびを見つめて行くと、とうとう建物が見えて来、道で出会う人たちは皆、「今晩は（グリュス・ゴット）」と言うのだった。居酒屋（ヴァイン・シュトゥーベ）へ行くと、いつも、釘を打ちつけた長靴をはき山装束をした地方の人びとがいて、あたりに煙が立ちこめ、木の床は、釘でひっかかれた痕（あと）だらけだった。若者の多くは、オーストリアのアルプス連隊に勤務したことのある連中で、その中のハンスという男は製材所で働いていたが、有名な猟師だった。彼とは仲好しだった。というのは、私たちはイタリアで同じ山岳地帯にいたことがあったからだ。私たちはいっしょに飲み、皆で山の歌をうたった。

私は、村の上の方の、丘の中腹にある農場の果樹園や畑をさかのぼって行く小さな道や、大きなストーヴのあるあたたかい農家や、雪の中に積まれた薪の大きな山のことを思い出す。女たちは、羊毛を、灰色と黒の糸に梳いたり紡いだりして、台所で働いた。糸車は、踏み子を踏んで動かされ、糸を染めることはしなかった。黒い糸は、黒い羊の毛からとられた。羊毛は自然のままのもので、脂肪が除去されていなかったので、ハドリーがその毛糸で編んだ帽子やセーターや長いスカーフは、雪の中でも、決して湿らなかった。

あるクリスマスのときには、ハンス・ザクス〔ドイツ宗教改革期の詩人・劇作家〕の劇を、学校の先生が演出したことがあった。それは良い劇で、私は地方新聞のために劇評を書き、ホテルの主人がそれを翻訳した。別の年には、頭を剃っていて、傷跡のあるドイツの元海軍士官が、ユトランド海戦〔第一次世界大戦におけるデンマークのユトランド半島の英独海戦〕について講演をしにやって来た。幻燈のスライドが、二つの艦隊の動きを示した。海軍士官は、ジェリコウ〔ジョン・ラッシュワース・ジェリコウ。イギリスの提督〕の臆病な行動を指摘するときに、玉突のキューを鞭の代りに使った。また、時々彼は非常に憤慨して、声がとぎれることもあった。彼が玉突のキューを映写幕に突きさしはすまいか、と学校の先生は心配した。あとで、元海軍士官は、気持をしずめることができず、居酒屋へ行っても皆落着かなかった。ただ、検事と銀行家だけが、彼といっしょに飲み、そのグループは別のテーブルについていた。ラインラント地方出身のレント氏は、その講演には顔を出さなかった。ヴィエナからスキーにやってきたカップルがいたが、彼らは高い山へ行きたがらず、そのためツールス〔スイスの小さい町〕へ向って出発しようとしていた。ところが、そのツールスで、彼らがなだれにあって死んだということを、私はあとで聞いたのだった。その男の方は、そのとき、あの講演者みたいな野郎どもがドイツを台なしにしたんだ、二十年もしたらまた同じことをする奴らだ、と言った。すると、連れの女が、おだまりなさい、とフランス語でたしなめ、ここは狭いところだから、ひょっとしてまた会ったらどうするの、と言った。

それは、たくさんの人びとが、なだれで死んだ年だった。最初の大きな犠牲が出たのは、アールベルクのレッヒにある私たちの谷から、山を越した辺りだった。ドイツ人の一行が、クリスマスの休暇に、レント氏のもとへスキーに来ることを望んだ。その年は雪がおそく、丘や山のスロープが太陽にあたってまだあたたかいときに、大雪が降った。雪は深くて粉雪で、ちっとも地面にくっつかなかった。スキーの条件として、これ以上危険なことはない。で、レント氏は、そのベルリンの人たちに、来るのを取止めるよう電報を打った。でも、そのときは、彼らの休暇のときだったし、無知な彼らは、なだれの恐怖を感じなかった。一行はレッヒに到着したが、レント氏は、彼らを連れ出すことを拒絶した。一人の男がレント氏を臆病者だと呼び、彼らは、自分たちでスキーに行くと言った。おしまいに、レント氏は、見つかった中で一番安全なスロープへ彼らを連れて行った。彼は自分でそのスロープを越し、それから、彼らがあとに従ったところ、丘の中腹全体が突然どーっと落下し、津波がもち上るようにして、彼らの上にかぶさった。十三人が掘り出されたが、そのうち九人は死んだ。アルプス・スキー学校は、この事件の前もあまり繁昌していなかったが、事件後は私たち以外に生徒はほとんどいなくなった。私たちは、なだれのことや、なだれのいろんな種類や、なだれの避け方や、なだれに襲われたときの処置などについて、相当の研究家になった。その年、私がした創作の大部分は、なだれの時節にしたものだった。

その、なだれの冬について私が思い出す最悪のことは、掘り出された一人の男のことだった。彼はしゃがみ込んで、両腕を頭の前にさし出して一つの箱形を作っていたのだ。それは、私たちがかねて教わっていた通りで、そうしていると、雪が体の上に降り積んでも、呼吸をする空間があるわけだ。それは巨大ななだれで、皆を掘り出すには、長い時間を必要とした。しかも、この男は最後に見つかった男だったのである。彼は死後まだあまり時間がたっていなかった。彼の首は中まで破れ、腱や骨まであらわになっていた。雪の圧力に抵抗して、首を左右に動かしていたのだ。このなだれの起る前、古い、固まった雪が、軽い新雪とくっついていたらしくその新雪の方がすべり落ちたのである。彼がそういうことをわざとしたのか、それとも、気が変になっていたのか、私たちは決めかねた。彼は、とにかく、その地方の坊さんから、聖域に葬られることを拒絶された。彼がカトリックだという証明が何もなかったからである。

私たちは、シュルンズで暮していたころ、よく、谷を上って長いツアーをし、旅館へついて一眠りしてから、マドレーナー・ハウスへ向っての登山に出発するのだった。それはとてもきれいな古い旅館で、私たちが飲み食いした部屋の壁板は、永年の間磨きつづけたため、絹のような光沢を帯びていた。テーブルや椅子もそうだった。私たちは、窓を開け放し、星が近くにきらきら輝くのを見ながら、大きなベッドで、羽根ぶとんをかけて、くっついて眠った。朝、食事のあと、私たちは皆、道を上って行くための荷造りをする。それから、早朝の暗黒の中を、きらきら輝く星を間近にして、スキーを肩にかつぎながら登攀（とうはん）を始めるのだった。ポーターたちのスキーは短く、彼らは重い荷物を運んだ。私たちは、自分らの間で、一番重い荷物を背負ってゆけるのはだれか、という競争をしたが、もちろんだれ一人ポーターと競争できる者はいなかった。そのポーターというのは、ずんぐり、むっつりした百姓たちで、モンタフォン方言しか話さず、荷馬のように堅実にのぼって行き、アルパイン・クラブの小屋が、雪におおわれた氷河のこの岩棚の上に建てられている頂上まで来ると、小屋の石の壁に向って荷物をほうり出し、協定値段より高い金額を請求するのだった。そして、いくらか色をつけてもらうと、彼らの短いスキーに乗って、蜘蛛（くも）の子を散らすように、さっとすべり下りてしまうのであった。

私たちの友だちの一人に、スキー仲間のドイツの娘がいた。彼女は山スキーの達人で、小柄だが美しい体つきをし、私の運べるのと同じくらい重いリュックサックを、しかも私より長い間、運ぶことができた。

「あのポーターたちったら、まるで、あたしたちの死体を運びおろすのを待ちこがれているみたいな目つきで、あたしたちを見るのね」と彼女は言った。「彼らは一応登攀の代金を決めるけど、それ以上の金を請求しないことは一度もないわ」

冬、シュルンズに滞在中、高地の雪の上ではひどく顔が日に焼けるのに備えて、私はあごひげをのばしていた。そして、散髪のことなど気にしなかった。ある夕方おそく、材木運搬道をスキーですべり下りる途中、レント氏は、シュルンズの上の方の道路で私とすれちがった百姓たちが、私のことを「黒いキリスト」と呼んでいると、教えてくれた。また、ある者は、居酒屋へやって来たとき、私を「桜桃酒(キルシュ)を飲む黒いキリスト」と呼んだ、と彼は言った。私たちがマドレーナー・ハウスへ上るためにポーターを雇うことにしているモンタフォン地方の、高地のはずれに住む百姓たちにとっては、私たちは皆、異国の悪魔どもで、近よってはならない高山へずかずか踏み込んでいるという感じを与えていたのだ。太陽がなだれの場所を危険な状態にする前に、そこを通過しようとして、私たちが夜明け前に出立したことも、私たちの信用を増すことにはならなかった。それはただ、すべての異国の悪魔どもの例にもれず、私たちがインチキ野郎だ、という証明になったのである。

私は、松のにおいや、木こり小屋でブナのマットレスの上に眠ったことや、兎や狐の足跡に沿って、森の中をスキーですべったことなどを、思い出す。樹木地帯より上方の高山で、狐の足跡を迫っているうちに、とうとうそのキツネの姿が見えてきたこと、彼が右の前肢を上げて立ち、それから、注意深く止ったりはねたりして行くのを見守っていたこと、また、一羽の雷鳥が雪の中から白くバタバタと飛び出し、飛び去って、山の尾根を越して行ったことを思い出す。

私は、風で出来るあらゆる種類の雪と、スキーをはいているときに雪がこちらをひどい目にあわせようとするいろんなやり方を思い出す。それから、私たちがアルプスの高地の小屋にいるときに起る大吹雪があった。そのためにまわりが見慣れぬ世界となり、私たちは、その辺を見たことが一度もないかのように、注意してルートをさがさねばならなかった。全く、その辺を見たことは一度もなかったと言ってよい。そこはすべて新しい景色になっていたから。おしまいに、春ごろになると、氷河上の大滑走があった。なめらかに、まっすぐ、脚さえしっかりしていれば、どこまでもまっすぐに。足首を定着し、極めて低い姿勢でスピードに乗り、カリカリ乾いた粉雪が静かにスースー音を立てるのを耳にしながら、いつまでもいつまでも下りてゆく。それはどんな飛行よりも、その他の何よりもすばらしかった。私はそれをやる能力を養い、それと同時に、重いリュックサックを背負って、長い登攀をすることをかみ合わせて楽しむことを覚えた。そういうツアーは、買収することもできないし、頂上までの切符を買うわけにもゆかないのだ。それは、私たちが冬中かかって達成しようとした目的であり、それを可能にするために、冬中働いたのであった。

私たちが山にいた最後の年の間に、新しい人びとが私たちの生活に深く入り込み、すべては前と姿を変えてしまった。なだれの年は、その翌年の冬にくらべれば、まるで子供時代の楽しい無邪気な冬のようであった。翌年の冬は、一番面白い時のように仮装していたが、実は悪夢のような冬であり、次にやって来たのは、いわば兇悪な夏とでも言っていいものであった。金持連中が顔を出してきたのは、その年だった。

金持連中というものは、自分たちより一足先に歩く案内役の魚みたいなものをもっている。その案内役は、時には少し耳が遠く、時には少し目が見えないが、常に先に出て来て、愛想よく、ためらいがちなにおいをさせる。その案内役の魚は、こういうしゃべり方をするものだ。——「そうだな。ぼくにはわからんがね。もちろん、本当のところはわからぬ。でも、ぼくは彼らが好きだ。二人とも好きだね。そうだ、神かけて、ヘム。たしかに彼らが好きだ。きみのそう言う気持もわかるが、ぼくは、彼らが本当に好きなんだ。それに、彼女には何かしら、おそろしく良いところがある」（彼は彼女の名前を言い、それを、いかにもいとしげに発音する。）「いや、ヘム、ばかなことはよせ。そう気むずかしくするなよ。ぼくは彼らが本当に好きなのだ。二人ともだ、誓って言うよ。きみも彼（幼時の仇名を使って）を知れば、彼が好きになるよ。ぼくは、彼らが二人とも好きだ、本当に」

それから、金持連中がお出ましになり、すべてのことは前と変ってしまう。案内役の魚はもちろん立去る。彼はいつもどこかへ行くところだし、または、どこかからもどって来たところなのだ。そして、そばに長いあいだ落着いていることは決してない。彼は、若い頃、国家や人びとの生活に出入りしたのと同じように、政治や劇場に出入りする。彼は決してつかまらない。彼は金持によってもつかまらない。彼をつかまえるものは何一つない。そして、彼を信頼する者どもだけが、つかまえられ、殺される。彼は、私生児としてのかけがえのない早期訓練を受け、潜在的な、長く否定されてきた金への愛情をもっている。彼はおしまいには、自分も金持になる。一ドル作るたびに、もう一ドルずつをものにして。

これらの金持連中は、彼を愛し、信頼した。なぜなら、彼は、内気で、こっけいで、とらえどころがなく、しかも、すでに金もうけをしていたからだし、また、彼が、まちがいをしない、案内役の魚だったからである。

今ここに、お互いに愛し合っている二人の人がいて、楽しく陽気に暮し、その中の一人または両方によって、良い仕事が進められているようなときに、人びとは、彼ら二人に惹かれるものである。それは、渡り鳥が、夜、強力な燈台に引きつけられるように確実なことだ。もし二人が、燈台のように堅牢にできていたら、鳥が受ける以外は、ほとんど被害はないだろう。ところが、自分たちの幸福と仕事とによって人びとを引きつける人というのは、ふつうは、経験のあまりない人であることが多い。かれらは、度を越さないようにすることや、引上げてしまうことを知らない。かれらは、善良な、魅力ある、すぐ気に入る、気前のよい、物わかりのいい金持連中のことを、必ずしもよく知っていない。その連中は、悪い性質をもっているというわけではなく、毎日にお祭りのような性格を与えるのだが、自分たちが必要とする栄養をとってしまうと、すべてのものを、アッティラ〔紀元五世紀、ヨーロッパに侵入したフン族の王〕の馬の蹄が蹴散らしたどの草の根よりも、ひどく枯死させたままにして、行ってしまうのである。

そういう金持連中が、案内役の魚に導かれてやって来た。その一年前だったら、彼らは来なかったろう。そのときはまだ確実性がなかったのだ。仕事はそのときも同じくらいよく出来ていたし、幸福はそのときの方が大きかったくらいだが、まだ、小説は書かれていなかった。だから、連中はまだ確信を持っていなかったわけである。連中は、確実でないものに、自分たちの時間や魅力をむだ使いしない立て前だった。なぜむだ使いする必要があろう？　ピカソは確かだった。もちろん、連中が絵画のことなどを聞く前から、確実だった。連中は、今度はもう一人の画家について確信をもった。それから他の多くの画家に触手をのばした。けれど、今年は、連中は新たな確信を持った。案内役の魚からの情報を得たからである。その案内役も姿を見せたのだった。私たちが、連中をよそ者だと感じて、私が気むずかしくなる、というようなことのないように。案内役の魚は、もちろん、私たちの友人だった。

当時、私は、例えば地中海に関してなら改訂水路局航海指針とか、「ブラウンの航海暦」を信用するのと同じくらいに、案内役の魚を信用していた。これら金持の連中の魅力にかかって、私は、愚かしくもすぐ人を信用する傾向になっていた。ちょうど、鉄砲をもっている人とならだれとでも出かけたがる鳥猟用の猟犬みたいだったし、芸を仕込まれたサーカスの豚のようでもあった。その豚の身になれば、とうとう、自分という個性を愛し、高く買ってくれる人を見つけたわいと思い込むわけである。毎日が祭日だということは、私にとっては、すばらしい発見であった。私は、自分の小説の書きなおしをした部分を、朗読することまでやった。そういうことは、作家として最低と思われることであり、冬の雪が十分にクレヴァスの上におちつく前に、ロープを使わずに氷河スキーをやること以上に、作家にとって危険なことなのである。

「彼らが「そりゃすばらしい、アーネスト。本当にすばらしい。それがどんなにすごいものをもっているか、きみには判るまい」なんて言うと、私は喜んでしっぽをふり、人生は祭日なり、という考えにおちこみ、「こいつらが、気に入ったというのなら、この作品には、どこか変なところがあるんじゃないか？」と考える代りに、犬みたいに、人の気を引くようなすてきな棒を、飼主のところへくわえてもどることばかり考えていたのだ。もし、私が作家という職業に徹して行動していたら、きっとそういうふうに思ったろう。もちろん、自分の職業に徹していたら、自分の作品を、連中に読んできかせることなんか決してしなかったはずだが。

これら金持連中がやって来る前に、最も常套的な手段を弄するもう一人の金持が、私たちのところへすでに侵入していたのだ。事の次第はこうだ。一人の未婚の若い女が、結婚している若い女の、一時的な親友となり、その夫妻と同居する。それから、知らず知らず、無邪気に、しかも容赦なく、その夫の方と結婚しようとし出す。夫が作家であり、むずかしい仕事をしているため、ほとんどいつも忙しく、一日の大部分、自分の妻に対して良い伴侶でなくなっている場合、こういう女のやり方は、得であって、しらぬ間に戦果をあげる。夫が仕事を終えたときは、彼は二人の魅力ある女にかこまれているという仕儀に立至る。一人は新しくて物珍しく、もし彼の運が悪いと、彼は両方を愛することになる。

そうなると、彼ら夫婦二人と子供の代りに、彼ら三人ということになる。はじめは、刺激があって面白く、しばらくはその状態がつづく。本当に邪悪なすべてのことは、無邪気から起るのだ。こうして、きみは日々を暮し、自分の所有しているものを楽しみ心配などしないでいる。きみは嘘をつき、それを嫌悪する。それはきみを破壊し、毎日、危険の度がふえてくる。でも、きみは、戦争中のようにして、日々を暮す。

私は、出版社と打合せをしなおすために、シュルンズを立って、ニューヨークへ行くことが必要になった。ニューヨークで用事をすませ、パリへもどったとき、私は東駅(ガール・ド・レスト)からの最初の汽車をつかまえて、オーストリアへ行くべきであった。ところが、私の愛していた女が、そのときパリにいた。で、私は、最初の汽車に乗らなかった。二番目のにも、三番目のにも。

駅に積んである丸太の山のそばへ、汽車が入って行って、その線路わきに立って迎えてくれた妻に再会したとき、私は、彼女以外の女を愛したりする前に、死ねばよかったと思った。彼女はほほえんでいた。雪と太陽で焼けた愛らしい顔に日光を浴びて、美しい体つきをし、彼女の髪は日向で赤い金色に見え、変てこに、けれどきれいに、冬の間中、伸びていた。バンビーくんの方は、彼女のよこに立ち、ブロンドで、ずんぐりし、フォラールベルクの元気な男の子のような冬のほっぺたをしていた。

「おお、タティ」と彼女は言い、私は彼女を腕に抱いた。「お帰りなさい。あなたの旅行、うまくゆきましたのね。あなたが好きよ。あたしたち、とても寂しかったわ」

私も彼女を愛した。そして他のだれをも愛さなかった。二人っきりのときには、楽しい魔法の時を過した。私はよく仕事をしたし、私たちは大きなツアーにも行った。再び、私たちの間は堅固になった、と思った。そのうち、私たちが晩春に山を出てパリへもどると、他の方のことが、また始まったのであった。

これが、パリ生活の第一部の終りだ。パリはいつもパリだったけれど、それは二度とは同じものにならなかった。パリが変るにつれて、きみも変った。私たちは二度とフォラールベルクへもどらなかったし、金持連中も、もどらなかった。

パリには決して終りがない。そこに住んだ人の思い出は、他のだれの思い出ともちがう。私たちは常にパリへ帰った。その私たちというのが、だれであったにせよ、また、どんなにパリが変ったにせよ、あるいは、どんなに苦労して、または、どんなに容易に、パリへもどれたにしても。パリは常にその値打があった。きみがそこへ何をもって行っても、そのお返しを受けるのだった。だが、これは、私たちがとても貧乏でとても楽しかった昔のパリのことである。

［完］

解説

この作品について

アーネスト・ヘミングウェイの遺作の「移動祝祭日」*A Moveable Feast* が、一九六四年四月末ニューヨークのスクリブナーズ社から刊行され（イギリスでもジョナサン・ケイプ社から同時出版）、たちまち世界中の話題となって、さすがにこの作家の名声の偉大さを示している。これより先、「ライフ」誌が四月十日号で、いち早くこの本の一部を、パリ風景や登場人物の写真と共にのせて注目をあび、ロンドンでは「オブザーヴァー」紙の「ウィークエンド・リヴュー」が五月十日から三回に分けてこの本の抜粋をのせている。書評に至っては枚挙にいとまのないほどで、例えば「ニューヨーク・タイムズ・ブックリヴュー」紙（五月十日号）は、「パリに終りなし」（本書の最終章の題目）という見出しで大きな紹介記事を出し、イギリスの「スペクテイター」紙（五月二十二日号）はモーレー・キャラハンによる長文の書評をのせ、「アトランテイック」誌の六月号には、アルフレッド・ケイジンがエッセイを寄稿し、「タイム」（五月八日号）、「ニューズウィーク」（五月十一日号）などの週刊誌も、それぞれ派手に紹介の文章をのせている。日本の新聞雑誌にも、かなり多くの記事が出たが、このヘミングウェイの遺作をめぐって、これからも多くの文章が書かれ、読まれることが予想される。なお、本書の最初の六章の拙訳が「回想のパリ」と題してこの年の「中央公論」誌八月号にいち早く掲載されたことをしるしておく。

この書物の原題の「ムーヴァブル・フィースト」というのは、クリスマスのように日の一定している祭日に対して、イースターのように、年によって日の異なる祭日のことであって、本書の場合、そういうキリスト教的な連想はないにしても、なぜこういう題目がつけられたかは、この書物の扉にある次の文句によって、はっきりすると思う。

――「もし、きみが、幸運にも、青年時代にパリに住んだとすれば、きみが残りの人生をどこで過そうとも、それはきみについてまわる。なぜなら、パリは移動祝祭日だからだ」これはヘミングウェイがある友人に語った言葉であって、この書物のモチーフになっているのである。本書の邦訳題名については、いろいろ考えたが、けっきょく、出版社側の希望もあり、「移動祝祭日」という題名に落ちついたことを附記しておく。

この本には、一九二〇年代のパリの姿が、修業時代のヘミングウェイの体験を通して、実にいきいきと描き出されている。サン・ミシェル広場のカフェに坐って、ミルク入りコーヒーを飲みながら、黙々と小説を書くヘミングウェイ。雨にぬれながら、安アパートの八階へもどってゆくと、愛妻のハドリーが待っている。お高くとまったようなガートルード・スタイン女史との交際や、「ロースト・ジェネレーション」という言葉についての耳新しいエピソードもある。仲間の作家スコット・フィッツジェラルドについての叙述が非常にくわしく、時にはひどいすっぱぬきもする。パウンド、ジョイスを始め多くの作家が登場し、興味しんしんたる読物になっている。「もし、読者がお望みなら、この本は小説とお考えくださってもよい」と、著者は序文でのべているが、たとえいくらかの誇張はあるにせよ、この本に描かれていることが、ヘミングウェイの人と作品に、多くの光を投ずるであろうことは、たしかである。彼の創作生活のもようもよくわかるし、当時のパリ・グループの作家たちとの関係も明るみに出される。そして、例えば、当時彼が書いていた長篇「日はまた昇る」（一九二七）を理解する上にも非常に役立つし、また「キリマンジャロの雪」（一九三六）に出てくる回想風景のあるものは、本書の終りの方のオーストリア滞在中の経験と、うまく重なることにも気づく。また、キリマンジャロの峯を仰ぎながら、死に瀕している小説家が、「そうだ、おれはまだパリについても一度も書いたことがない。心にかけているあのパリについてはだ」とつぶやくのを読むと、ヘミングウェイが、晩年に至り、本書によってついにその宿願を果たしたのだろう、と考えさせられるのである。

本書成立の事情は、作者の第四番目の夫人で、今は未亡人であるメアリー・ヘミングウェイが、巻頭につけているノートで明らかである。一九五七年、ヘミングウェイが五十八歳のときに書き始められ、一九六〇年、彼が六十一歳のとき書き終えられたわけで、この本の背景となっているのは、一九二一―二六年のパリ、すなわち、ヘミングウェイが二十二歳から二十七歳までの修業時代を過したパリである。六十翁が、三十五年ぐらいも前の青春の頃を回想したこの文章には、創作ひとすじに生きた無名時代の生活や、まわりの親しい友人についての楽しい思い出と共に、いくらかのほろ苦さや、悔恨や、ある人びとに対する意地悪な目つきも見える。また、好奇心のある人は、本書を完成して間もなく一九六一年七月の自殺に至る彼の晩年の心境を、これらの文章から臆測するかもしれない。しかし、そういう、さまざまな人生の姿を包んで、パリの街は、セーヌの流れと共に、いつまでも、人間の心のふるさとになっているということが、ひしひしと読者の胸を打つのではなかろうか。本書は、ヘミングウェイその人の体臭に接し、その肉声をきくような感じを起させるが、同時に、ヘミングウェイと同じ異国人である私たちにも、パリのはなやかで、哀愁のあるふんいきを、十分に伝えてくれるように思う。

パリ時代の年譜

この本に扱われている一九二一年から六年間のヘミングウェイの動静を、年譜形式によって、次に掲げておく。

一九二一年（二十二歳）カナダの「トロント・スター・ウィークリ」の署名入り寄稿家となる。セント・ルイス生れのハドリー・リチャードソンと結婚し、ミシガン地方を新婚旅行した。トロントに居住。十二月、「トロント・デイリー・スター」紙および「トロント・スター・ウィークリ」誌のヨーロッパ特派員として渡欧。スペインを経由して、パリへ行く。

一九二二年（二十三歳）一月、スイスへ旅行。三月、アメリカ作家シャーウッド・アンダスンの紹介状を持って、パリのガードルード・スタインに会う。また、エズラ・パウンドを知る。スタインに詩および短篇の原稿を示す。「ジェノア経済会議」報道のため、イタリアへ行き、六月まで滞在し、北イタリア旅行もした。八月下旬からドイツ旅行。九月下旬アルザスへ。ギリシア・トルコ戦争報道のため、九月末コンスタンティノープル着。ギリシア軍に従軍して、ブルガリア、セルヴィア、ユーゴスラヴィアを北進して、トリエステに至る。十一月、パリへもどったあと、「インターナショナル・ニューズ・サーヴィス」特派員を兼ねて、ローザンヌの講和会議に行く。ムッソリーニとインタヴューなどした。妻ハドリー、ローザンヌに至る途中、パリのリヨン駅で盗難にあい、小説一、短篇十八、詩三十の原稿入りスーツケースを失った。寓話「神の身振り」、短詩「最後に」、それぞれ、ニュー・オーリンズの「ダブル・ディーラー」誌五月号と六月号にのる。アメリカの雑誌に出た最初の作品である。

一九二三年（二十四歳） ローザンヌ会議後、一月、イタリアのラパルロへ行く。エズラ・パウンド、ロバート・マッコールモン（スリー・マウンテンズ社主）と親しむ。四月ドロミテへスキー旅行。四月末ルール地方およびフランクフルトに至り、六月中旬パリへもどる。詩六篇に「さすらい」という総題をつけて、シカゴの「ポエトリ」誌一月号に発表。小品六、詩一篇を「リトル・リヴュー」誌四月号に出す。「三つの物語と十篇の詩」をコンタクト社から三〇〇部処女出版。スタインから創作に専念するよう助言され、パリ在住中の生活費を得るため、九月、トロントへ帰る。「トロント・スター」紙との関係つづく。十月十日、長男ジョン出生。（本書ではバンビーという仇名で登場）

一九二四年（二十五歳） 一月、パリにもどる。本格的な文学修業時代始まる。パリにいたドス・パソス、ジェイムズ・ジョイスらと交友。スイスのフォラールベルクやシュルンズ地方へスキー旅行。春、エズラ・パウンドと北イタリア旅行。夏は妻とスペイン旅行。パンプローナ闘牛見物。一月、フォード・マドックス・フォードを主筆として「トランスアトランティック・リヴュー」創刊。その編集部員となり、四月号に短篇（後に「インディアン・キャンプ」と命名）を発表。同時に、スタイン「アメリカ人の形成」、ジョイス「進行中の作品」の各一部も掲載された。秋、ドイツの「デア・ケルシュニット」誌に詩四篇発表。これに先立つ三月にはパリ版の小品集「われらの時代に」を、スリー・マウンテンズ社から出版。百七十部。北イタリア、スイス、スペインなどへ旅行。

一九二五年（二十六歳） 一月、「トランスアトランティック・リヴュー」誌廃刊。「デア・ケルシュニット」二月号に詩一篇発表。創刊された「ジス・クォーター」誌に関係。アーネスト・ウォルシュ、エセル・ムアヘッドに協力した。創刊号に「二つの心臓の大きな川」を発表。一月と二月、スイスへ。ジェイムズ・ジョイス、ドス・パソス、マルコム・カウリー、アーチボルド・マクリーシュ、オグデン・スチュアート、ウイリアム・カーロス・ウイリアムズ、スコット・フィッツジェラルドらと交友繁し。夏スペイン旅行。フィッツジェラルドの推輓で、二月、スクリブナーズ社マックスウェル・パーキンズ、パリのヘミングウェイに書信。当時スイスのシュルンズに滞在中の彼に、同時に、アンダスンから紹介されたボニ・アンド・リヴァライト社からも来電。後者と二百ドルの契約金で出版受諾。こうして「われらの時代に」は十月出版された。一三三五部。売行きわるし。「春の奔流」の原稿出版拒否。この年スコット・フィッツジェラルド作「偉大なギャツビー」も刊行された。

一九二六年（二十七歳）二月、ニューヨーク旅行。「日はまた昇る」の原稿は、この前年七月二十一日の誕生日にヴァレンシアで起稿したが、それが、四月に完成。夏、スペイン旅行。「春の奔流」は五月、スクリブナーズから出版。一二五〇部。以後同社との出版契約成立。劇小品「今日は金曜日」を七月にパンフレットとして出版、三百部。「日はまた昇る」十月出版、五〇九〇部。作家としての地位を確立。ニューヨーク、スペイン旅行。第一の妻ハドリーと離婚。

パリのヘミングウェイ

次に、私の調べた資料をもとにして、パリにおけるヘミングウェイのさまざまな姿をスケッチしてみたい。（これは一九六二年大修館書店刊の拙著「遠い国近い人」の中に収められた文章に加筆したものである）

一九五三年六月三十日、アーネスト・ヘミングウェイは、三日間滞在するはずのパリへ到着した。五十人余りの報道記者やカメラマンが、サン・ラザール駅で、〈トランスアトランティック〉がすべりこむとき、合衆国の最も人気のあるこの作家の巨大な姿を見ようと待機していた。つくとすぐ、アーネスト・ヘミングウェイは、かつての戦友の息子の所有する車、UD―二―一八〇二の番号のついた〈ランシア〉に乗り、そこから走り出した。新聞記者をまいてしまうと、彼は、妻のメアリーとホテル・リッツへ直行した。そこでは、彼の友人で、彼と同じく魚釣りの狂気じみた愛好家シャルル・リッツが、彼のため三階に一部屋をとっておいてくれた。それから彼は、彼の出版者であるガリマールと、彼の翻訳者であるデュトゥールとに会った。そして彼らと一緒に、ドヌー街のハリーズ・バーでその夜をすごした。この有名な酒場の腰掛の一つには、銅板の上に彼の名前がつけてある。それは、ヘミングウェイがI・B・F（〈バーの国際的な蝿〉という意味の会の名）のメンバーであることを記念するためである。その翌日、彼はモンパルナスへ巡礼に出かけた。二十五年前、若い報道記者として、彼は〈ドーム〉、〈クーポール〉、〈セレクト〉、〈ヴィラ〉を知っていたのだ。もっとも、この最後のカフェは、当時は〈シゴーニュ〉といい、ジャンゴ・ラインハルトがデビューしたところであった。ヘミングウェイは、今はそこにまぼろしを見るだけであった。午前三時、クーポールの給仕が、日やけした顔のこの巨人に近づいた。だまりこんで、彼はテーブルにつき、憂うつな様子で、四十五分間に十一杯の〈ドライ〉を乾した。木曜の正午に、ヘミングウェイはとうとう、リッツの酒場でカメラマンに襲われた。そこにはゲーリー・クーパーもいてヘミングウェイにあいさつした。午後は彼はオートゥーユの競馬に出かけた。彼は大きな賭けはしないで、五百フラン紙幣を三枚賭けただけであった。第七回のレースで彼は巻煙草代だけもうけた。ヘミングウェイはパリが好きである。彼がフランス解放のときに、メアリー・ウエルシュに出あったのは、パリにおいてであった。メアリーはやがて彼の妻になったのであるが、そのとき、彼女は戦争の通信員だった。ヘミングウェイは金曜日にパリを去った。南仏へ休暇に出かけたのである。彼は二つの未刊の小説を書き上げてしまっている。その各々に対して、彼は五十に余る題目を見つけた。けれど、毎日、一つずつ削ってゆく。「老人と海」の場合のように、彼のこの二つの小説は、主人公として、ヘミングウェイの最も忠実な友である〈海〉をもつであろう。

以上は一九五三年の夏、ヘミングウェイが突然パリを訪れたとき、「パリ・マッチ」という週刊誌の七月第三週号にのった記事の要旨である。この記事の見出しには、〈オートゥーユでの孤独な賭け人――ヘミングウェイ〉とあり、ヘミングウェイが桟敷のテーブルの前に腰かけて、競馬の新聞に見入っているところの写真が大きくのっている。まるで農夫のように朴訥な、無愛想な、がっちりした巨大な姿である。前のテーブルには二本の瓶といくつかのコップ、それに双眼鏡がおいてある。これが十一年前のある日の、〈名士〉ヘミングウェイの姿である。

この記事の中でふれているように、彼がパリで修業時代を送った頃から、すでに一世代以上の年月が流れていたわけである。われわれは次に、目を四十余年前のヘミングウェイの修業時代に向けよう。

＊

一九一七年イリノイ州オーク・パーク・ハイスクールを卒業したヘミングウェイは、カレッジへ行かずに「カンザス・シティ・スター」紙に仕事を得、七ヵ月ほど働いた後、大戦に参加するため、赤十字の病院車の運転手として志願した。彼は一九一八年五月末、フランス汽船〈シカゴ〉号に乗って大西洋を横切り、ドイツ軍の長距離砲弾の落下しつつあるパリへついた。ヘミングウェイがパリを見たのはこれが最初である。数日後彼はイタリア戦線に加わった。七月にひどい負傷をしてミラノの病院へ入り、戦後帰米、一九二一年結婚、カナダのトロントの新聞「スター」の特派員として十二月に再びヨーロッパに渡り、彼が、以後多年の間修業時代を送ることになったパリに居を定めた。最初の宿は市街の北部モンマルトルにそびえるサクレ・クール寺院のわきのテルトル広場近くであった。

ヘミングウェイは前にシカゴで知合ったシャーウッド・アンダスンの紹介状をもって、当時のパリ・グループの中心人物であったガートルード・スタインを訪ねた。彼女の家はセーヌの左岸ラテン区のリュクサンブール公園の横フラーリュス街二十七番地であった。それ以後ヘミングウェイはスタインのサロンに出入りし、そこに集まる人びととも交際した。スタイン、エズラ・パウンド、アンダスン、フォード・マドックス・フォードらと特に親しく、殊に最初の二人はヘミングウェイの文学上の指導者でもあった。パウンドは当時、スタインの家と程遠くないノートルダム・デ・シャン街の小さな部屋にいて、T・S・エリオットの「荒地」の草稿に削除を加えていた頃であった。

スタインやパウンドがヘミングウェイに教えたのは、〈完全な客観性〉ということで、ヘミングウェイが初期の作品をパウンドに送ったとき、それは、大部分の形容詞を青鉛筆で消されて戻って来たという。またスタインはヘミングウェイに一般的な注意を与えたが、それは常に、この若い作家によって守られたということである。

新聞記者としての生活も、ヘミングウェイの客観的な、むだのない筆をねる上に大いに役立ったと思われるが、一九二二年十一月ローザンヌの平和会議に出た彼を追って、ヘミングウェイ夫人がちょうどクリスマス直前に彼に会いに行ったとき、彼女はパリのリヨン駅で夫がそれまでに書きためておいた原稿のほとんどすべてを入れたスーツケースを盗まれた。このしらせはヘミングウェイに大きなショックを与えた。こうして彼の初期の作品は永久に失われることになった。しかし、やがてこの不幸から立ち直ったヘミングウェイは、新たに詩や短篇を書き出した。この頃から彼は、作家として独自の成長を示し始めたようである。

翌一九二三年夏、ロバート・マッコールモンの経営するコンタクト出版会社が、彼の最初の本を三百部だけフランスのディジョンで安く印刷してくれた。こうして「三つの物語と十篇の詩」が、世に出ることになった。

この頃スタインは、ヘミングウェイに、新聞をやめて創作の方に集中することをすすめた。かねてから、ニュースを追っかけて歩く記者生活が小説家にとって望ましいものではないことを感じていたヘミングウェイは、この忠告を受け容れたが、まず財政的な余裕をつくるために「スター」紙の記者としてあとしばらく働くことにしてトロントへ帰った。

一九二四年初め、ヘミングウェイはパリへ戻ってきた。当時米貨一ドルは十二フランに相当し、パリには多数のアメリカ人がいて、ドルの高価なのを幸い、大部分の人びとは、歓楽を追う生活にふけっていた。ヘミングウェイはそういう人びとのよく集まるモンパルナス界隈のノートルダム・デ・シャン街に住み、これら〈失われた世代〉の生態を観察して、創作の材料を得た。

彼は通例、朝のうちスフロ街のカフェに陣取って仕事をし、午後には友人のドス・パソスや、アレン・テイトやジェイムズ・ジョイスと語ったり、時折ロンドンからやって来るエリオットにも会ったりした。また競馬やボクシングを見に行ったり、時間や金に余裕があればフランス国内やオーストリアやスペインやスイスなどの国々を旅行した。

しかし彼の作品は一向に売れなかった。ドイツやフランスの雑誌にも原稿を送ってみたが、返されて来た。それら返送の手紙には、彼の作品を小説と呼ばず、アネクドート、スケッチ、コント等としてあった。この状態は一九二七年あたりまで彼のパリ滞在中ずっとつづくのである。

一九二四年一月、「トランスアトランティック・リヴュー」という雑誌がフォード・マドックス・フォードの編集によって始められたので、ヘミングウェイは翌年一月のその廃刊まで、編集の手伝いをした。この間、スタインの「アメリカ人の形成」をこの雑誌にのせることに尽力して同女史に感謝されたこともある。スタインは後に野心のためか、あるいは他の理由でか、ヘミングウェイを含め、親しい友だちと次第に交際を絶つようになるが、この時代のこのグループの生活はスタイン著の「アリス・トクラス嬢の自伝」やマルコム・カウリーの「亡命者の帰還」などに描かれている。

一九二四年春「われらの時代に」がウィリアム・バードの手によって、パリの「スリー・マウンテンズ・プレス」から刊行された。この三十二頁の本に対して賞讃の批評を出したのは、「トランスアトランティック」の四月号であった。この雑誌によってヘミングウェイの文名は、少なくとも、パリおよびその附近に知られるようになった。彼は既に独自のスタイルを生み出していた。

この頃ヘミングウェイが愛読した作家としては、フランス人ではスタンダール、バルザック、フローベルらの名前があげられる。しかし、彼が好んだ欧州大陸の他の作家、ツルゲーネフ、チェホフ、トルストイ、ドストエフスキー、トマス・マンやイギリスの

W・H・ハドソン、コンラッド、ジョイス、アメリカのマーク・トウェイン、スティーヴン・クレイン、ヘンリー・ジェイムズなどからの影響があるかどうかがはっきりしないように、ヘミングウェイが前述のフランス作家から特に何かをとり入れたという風にも見えない。要するに、ヘミングウェイの文学上の手法は、彼が自ら開拓したと考えてよいと思う。

やがてヘミングウェイに幸運が訪れた。一九二五年五月に、八ヵ月滞在の予定でパリへ来たスコット・フィッツジェラルドの世話で、アメリカの大書肆スクリブナーズから、彼の作品を求める依頼状が来た。ところがもう一つの出版社ボニ・アンド・リヴァライトからも同じ申込みがあり、この方の電信が早くついたため、この出版社がヘミングウェイの最初のアメリカの出版をする栄を担った。このとき出たのが、「われらの時代に」であって、前に出した同名の本を増補し、題名の各語を大文字で始めてある。このアメリカ版は、一つにはアメリカの読者が、パリへ逃れた作家に対する偏見をもったためもあったろうが、本国であまり反響を起さなかった。むしろ、アンダスンの友人であったローゼンフェルトやアレン・テイトら、パリにいる人びとから好評を受けた。とはいうものの、この書物の出版を契機として、ヘミングウェイは、モンパルナスにたむろした多くの作家の間に際立った存在となり、広く世に認められていった。

以上、ヘミングウェイのパリにおける修業時代を概観してみたのであるが、一体彼は何を求めて、自ら国外放浪をしたのであろうか？「日はまた昇る」の中で、この物語の語り手であるヘミングウェイらしい人物ジェイクに向って友人のビルが次のように言うところがある。

「きみは国籍喪失者だ。きみは土地とのむすびつきをなくしている。きみはつまらぬ奴になった。いかさまなヨーロッパの考え方が、きみを破滅させたんだ。きみは酒を飲んだあげく死んでしまうだろう。きみはセックスにとりつかれている。きみは働きもせず、むだ話をしてすべての時間を過している。きみは国籍喪失者だ。わかるかね？　きみはカフェに入りびたっている」

ここにビルの口を通して描かれているジェイクは、決してヘミングウェイ自身ではないと私は考える。それはヘミングウェイが描こうとした〈失われた世代〉の姿なのである。彼が、スタインの言ったように、この世代に属しているにしても、現実において、そのような〈失われた世代〉の一人物であったわけではない。

事実、ヘミングウェイのパリでの作家生活を調べてみると、それは極めて堅実な努力の生活といっていいように思う。クリスチャン・ゴースがカーロス・ベイカーに書き送った言葉「彼（ヘミングウェイ）については、少しもラテン区式のところ、知的あるいは美的に気どったところがない。彼は澄んだ眼と、平静な気質と、体の調子のよい運動家のような気楽な態度とをもっている」とか、リンカーン・ステファンズが「私は彼が、物を書くことは正直と労働の問題だ、と考えていたように思う」とヘミングウェイについて言っていることから考えてみても、私はこの時代のヨーロッパにおけるヘミングウェイに、覇気（はき）にみちた若々しい姿を見出すのである。彼は飽くことのない熱意と探究心をもって、絶望と虚無の生活を送る人びとを描いた。しかし、そういう〈失われた世代〉を最もよく描いているといわれる初期の作品「日はまた昇る」においてさえ、よく注意して見ると、人物の表面的行動はいかに虚無的であるにせよ、一皮めくってみると、その底に案外、人間精神の高さを思わせるものがひそんでいるようである。その高さを得られぬあまりの焦燥が、これらの人物の刹那的な快楽を求める生活となって現われているのではないであろうか。例えば、最も娼婦的なふるまいをするブレッド・アシュレでさえ、何かしら高雅なものを身につけているように感じられる。作品に深く立ち入ることは当面の課題でないので、さしひかえるが、ヘミングウェイの作品が、単に〈失われた世代〉の表面的な写実にとどまっていないことは、彼の作家としての深さと活力を示しているように思う。そして、それは彼の真摯（しんし）な創作生活と結びついているものであろう。

ここで、ヘミングウェイがなぜ国外へ脱出したかという疑問が残る。ヨーロッパに逃れた他の作家たちも同様だと思うが、それはやはり、当然のことながら、古いヨーロッパの伝統へのあこがれではなかったろうか。幾千年の歴史をもつ旧大陸の風物や人間生活に題材をとることにより、そこに何かしら不朽の文学作品を生むことができると考えるのは、極めて自然であろう。だから、彼らにおいては古い文化をもつヨーロッパの場所というものが大きな意味をもつことになる。私は彼らの脱出の主な動機はここにあると考える。彼らはヨーロッパに、そしてフランスに、彼らの作品にとって好ましい背景とか枠とかいったものを見出したのであろう。

ヘミングウェイがあるとき、ジョージ・アンティールに言った言葉「地理、背景がなければ、何も持たぬのと同じだ」を引用しつつ、カーロス・ベイカーは次のように述べている。「彼ほど場所意識の強い作家はあまりいない……角のカフェで朝食をとるためにパリの街を通るときの様子、また、ヴェニスの早朝に、アドリア海に面した市場へ向う古い鋪石の上のあなたの足音が四囲の壁にこだまするときや、スペインの夜明けの六時頃、かこいから走り出た牡牛が闘牛場へ向ってパムプローナの街路を走ってゆくときの様子を、彼ほど言葉をむだ使いせずに絵のように描くことのできる作家はあまりいない」

ベイカーはここで〈言葉をむだ使いせずに〉と言うが、私はヘミングウェイの作品のある部分に、まるで好奇心にみちた旅行者がするような、あまりにも微に入り細にわたった描写のあることを感ずる。上述のパムプローナの牛舎の詳しい叙述などその一例であろう。この場所意識の強さということを、私は彼のヨーロッパへの脱出と結びつけたいと思う。ヨーロッパの古い背景の中で、彼は永劫な人間の姿をとらえようとした。もう一人の国外脱出者(エクスパトリエート)T・S・エリオットが、フランスの週刊文芸新聞「ヌーヴェル・リテレール」一九五二年四月二十四日号のアンケートで、「パリに何を負うているか」の質問に対し、「パリの刺戟は知的、芸術的、また深く情緒的なものだ。それはただこれこれといった特殊な影響ではなく、最も豊かで、進歩し、文化の開けたこの街の生活全体の与えるものであった」と答えていることは、またヘミングウェイがパリないしはヨーロッパに対して抱いていたのと同じ気持であったろう。だからヘミングウェイが、そのの脱出によって受けた最大の影響は、フランスや広くはヨーロッパの風物それ自体からであったと言えると思う。

一九六四年夏

訳　者

パリの本